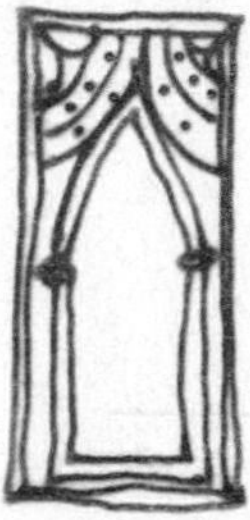

塔裏的六月

亦舒

天地
www.cosmosbooks.com.hk

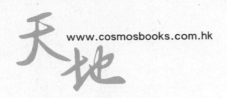

書名　塔裏的六月　作者　亦舒

出版　天地圖書有限公司
香港皇后大道東109-115號
智群商業中心十三字樓
電話：25283671　傳真：28652609

香港灣仔莊士敦道三十號地庫 / 一樓（門市部）
電話：28650708　傳真：28611541
九龍尖沙嘴彌敦道74-78號文遜大廈2樓2A（門市部）
電話：23678699　傳真：23671812

印刷　亨泰印刷有限公司
柴灣利眾街德景工業大廈十字樓
電話：28963687　傳真：25581902

發行　香港聯合書刊物流有限公司
香港新界大埔汀麗路36號
中華商務印刷大廈3字樓
電話：2150 2100　傳真：2407 3062

出版日期　二OO九年七月 / 初版・香港

唐家申甫下車，穿制服司閽已一個箭步替他拉開大玻璃門，「唐先生早。」

他留意到大廈並無名稱，只叫橋生路一百號，大門側邊有一間十分著名西菜廳，就叫一百號，時髦男女趨之若鶩，唐家申也聽過大名，只是沒有進去過。

大堂佈置十分大方雅致，一張銅製新藝術圓枱上放着水晶玻璃大花瓶，滿滿插着各色牡丹及玫瑰。

電梯門打開，一名男僕迎出說：「唐先生早，請隨我來。」

唐家申跟他進電梯，看着他按十七字，電梯門打開，是一個客廳，靜寂無聲，他被安排在一個會客室，女僕問他要喝什麼。

唐輕聲說：「黑咖啡就好。」

沒想到片刻整壺咖啡奉上，唐辨認到藍山的香味。

他站在窗口看風景，一百號在鬧市，十七樓眺望正是都會最絢爛的風景，市肺公園就在腳下。

這時一個年輕女子走進，「唐先生，你來了，久聞大名，如雷貫耳，我是陸

先生秘書，請你稍等，並且讀一讀合約，如無異議，請在上面簽署。」

她放下一份文件退出。

唐取起文件，這本子他已看過，十分簡潔，主要叫他保守秘密，與甲方對話及文字內容，不得外洩。

這時女僕放一碟子點心果子在茶几上，「請唐先生慢用。」

那碟子糕點異常精緻，每塊只有一口那麼大，有一塊印得似小小一朵粉紅色祥雲，唐覺得有趣，取過放口中，卻不知一碰到舌尖已經融開。好一陣玫瑰花味道，正像一個香吻。

唐再在碟子找，已經沒有，只得一塊。

他取起筆，在文件上簽名。

前日下午，他奉召到標準出版社見總編輯老閻。

老閻見到他苦口婆心說：「家申，這一宗買賣，你一定要接。」

怪不得外邊行家叫他閻婆，因為他口角似皮條客。

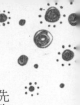

「說來聽聽。」

「富商陸儒要寫自傳。」

唐立刻站起。

老闆聲線變粗：「家申，坐下。」像喝狗那樣兇，「這個不接，那個不接，你欠我們多少？五年寫七本書的合約，結果只履行一半，稿費卻已全支，又多借一本書版稅，算下來，你一共欠標準四部半著作，好好好，你寫完這三分一部自傳，我當你合約一筆勾銷，如何？」

「我不會做。」

「不會也得會，」老闆臉色鐵青，「家申，讀者喜歡你，一直問你下一本書什麼時候出版，他們對你不離不棄，這是奇蹟，但你卻視若無睹，過去一年，你除出養一臉的鬍髭，還做過什麼？欠錢還債，家申，你別恃才傲物，我已經受夠。」

唐家申沉默半晌，「怎麼寫？」

「陸儒是神秘富豪，他最近健康情況欠佳，突然心血來潮，想要一本自傳，他有無資格擁有自傳？絕對有，市民百分百有興趣知道他如何發財及囤積財富……」

唐家申用手托着頭。

「他口述，你筆寫，經過他批閱同意，即可出版。」

唐不出聲。

「傳記共分三部，第一部：出身；第二部：做事；第三部：感情，你負責寫他一生裏情慾。」

唐一怔，「什麼？」

「頭兩部已經寫好，等你那最後部份，給你三個月時間，交稿後你與標準合約終止，互不拖欠，家申，你佔便宜。」

唐家申輕輕說：「勞方怎有可能佔到資方便宜。」

「家申，你有才有貌，是個人物，請你振作，不要自暴自棄。」

家申想起，「是客戶主動找我，還是你向他推薦本人？」

「少喝一點，多寫一點，寫作到底有何難處？不用扛不用抬，你要自律——」

「頭兩部可否借我一讀？」

「不行，陸先生規定只予你們三人資料，可是不准互通消息，以免內容重複。」

「其餘兩位寫作人是誰？」

老閻傲然答：「劉汝森及林樑。」

呵。

「資格都比你略高吧。」

的確是事實。

「這是你唐家申與標準的合約，請即簽署，後日上午十時，請準時到橋生路一百號見陸先生。」

「為什麼地址如一個特務機關？」

老闆卻說：「家申，這是你最後機會，你若不想下半生潦倒，請依時交稿。」

唐牽牽嘴角。

「家申，男人也有名聲，你很快就會聲名狼藉，外頭怎麼說你，你應知道：唐家申的外遇比著作更多，我妒忌？當然，大家一間大學出身，同齡，三十六歲，我看上去像你爹，與你一起實在氣餒，女人眼光，通落你身上，滑遍你全身，留戀不已——」

家申簽妥合約，「見到陸君，我會給你消息。」

「家申，你一支好筆，切莫浪費。」

唐家申已經離開老闆的辦公室。

在門外碰到嬌俏的助編。

「家申，」她叫住他，「什麼風吹你到這裏。」

她把一疊讀者信交給他，故意阻他去路，站他前面，笑嘻嘻抬頭看着高大英俊的他，心想：他的妻子真幸運，試想想：每天清早睜眼便可以看到一張這樣好看的面孔。

唐家申輕聲說：「謝謝。」

「幾時替我們做簽名會？」

家申不出聲。

她又說：「許多讀者想知道，為什麼男人要騙女人。」

家申側身在她身邊走過，一邊輕輕答：「因為女人要騙他們。」

助編一怔，發出銀鈴般笑聲。

出到電梯大堂，家申眼觀鼻，鼻觀心，可是身後有人問：「你是作家唐家申嗎？」

家申連忙說：「不敢當。」

廣大讀者是他的施主，正如麥迪奇家族對米開蘭基羅，沒有讀者，便沒有作

者。

「請替我簽個名。」

讀者打開書本扉頁，家申忽然面紅，他喃喃說：「寫得不好，真是拙作。」

他簽下名字。

「不，不，」讀者答：「我讀得落淚。」

家申走進電梯。

少婦讀者跟着他，「唐先生，聽說你已婚。」

家申點點頭，幸虧電梯門已合上。

那是前天。

今早他準時赴約到橋生路一百號。

家申看看手錶，那陸先生已遲十五分鐘。

這時，會客室門打開，一張輪椅推進。

家申意外。

坐在輪椅上是一個老人，怕已七十以上，而且不良於行，家申想，原來如此，遲一小時不妨。

那老人說：「是唐家申嗎？久聞大名。」

家申已經站起來走近，與老人握手。

「請坐，請坐。」他極之客氣。

家申這時後悔沒把鬍髭剃淨，及穿上全套西服，他一心以為陸儒是個腦滿腸肥，神氣驕橫的中年人，可見他是多麼膚淺。

這時女僕另外換上熱的飲料。

家申不知說些什麼才好，只是微微笑。

陸儒是個好看的老人，修飾整齊，稀疏白髮剪平頭，一雙眼睛仍然炯炯有神，高鼻樑，方下巴。

他說：「很榮幸你答允替我寫自傳。」

「不敢當。」

「都說你文筆細緻，無比動人。」

家申不好意思。

「合約已經簽署，工作可以開始，我會給你資料。」

「明白。」

老人忽然問：「會下棋嗎？」

家申推搪說：「只會獸棋。」

「會撲克牌否？」

「只懂釣魚遊戲。」

「喜何種運動？」

「只是游泳。」

「那你會喜歡這裏的泳池，請隨便用。」

家申點頭。

「聽說你已婚，有一子一女。」

家申答：「孩子們都還小，女兒只有兩歲。」

「正是最可愛的時候。」

他頷首，「是的。」

「作家的子女叫什麼名字？」

他欠欠身，「五歲的男孩叫唐品，女兒叫唐晶。」

老人微笑，「的確是好名字。」

他毫無架子，語調親切，家申不介意與他閒聊。

這時男僕取來一副紙牌，坐在一旁，發牌給兩人玩釣魚遊戲。

老人忽然輕輕說：「家申，聽說你有許多女朋友。」

家申有點尷尬，「江湖上朋友過譽。」

老人不以為然，「男人沒有女朋友，那還好算男人。」

家申不響。

「漂亮女人多可愛：漆黑瞳仁，雪白皮子，櫻紅嘴唇，色相動人，我認為男

人最快樂時刻，便是擁抱凝視心愛的女子。」

家申連釣魚遊戲規則都忘記了。

老人說：「你輸，每點一角，你欠我二十元整。」

家申大吃一驚，「這麼多！」

老人笑，「家申，你很有趣。」

他有點累，叫管家進來。

他吩咐管家領客人參觀設施。

管家姓梅，是一個穿制服，相貌端莊的中年女子。

家申發覺陸宅人人都打扮整潔，與他的不修邊幅剛剛相反。

管家的聲音也叫人舒服：「陸先生叫我準備一套房間給唐先生休息用，唐先生也可以在這裏寫稿，我們比較靜。」

一百號七樓以下全是辦公室，高層是酒店式住宅，卻不出租，全作私人用途，陸老住頂樓兩層，泳池在天台。

「唐先生喜歡游泳?露天是海水池，室內是淡水恆溫池，那小的是水力訓練池。」

家中輕輕點頭。

從頂樓看下，更如君臨天下，感覺舒暢。

「壁球場及健身室在二樓，地下有餐廳及會所，唐先生請隨便用。」

管家再把他帶到客房，打開房門，先是會客室，然後是書房與臥室，像一個公寓單位，設備周全。

「唐先生，需要什麼，儘管吩咐。」

家中又點頭。

管家替他打開露台長窗，放下門匙，輕輕離去。

家中走進書房，發覺手提電腦邊放着資料，他不覺坐下開始細讀。

原來陸儒已親自寫下他的生命中的感情歷程，字裏行間充滿真正的遺憾與感慨，十分真摯，只不過時間與空間有點混淆，需要修訂，陸氏用章回體撰寫，而

且不大擅用西方標點。

不過他的感情大膽、奔放、熱烈，出奇地現代，他在感情上不計較得失，所以每次都失敗。

讀到一半，家中聽見有人進來，抬頭一看，天色已暗。

他想做一杯咖啡，女僕已把點心取進放在一邊。

她說：「唐先生你還在工作，如果有時間，陸先生想邀你吃晚餐。」

「是在頂樓嗎？」

「正是。」

家申看到小小一碟青瓜三文治，另外有兩塊剛才吃過的玫瑰味糕點。

他詫異，是誰如此細心，知道他希望再嚐玫瑰滋味，不可思議細膩的待客之道。

他回到電腦前觀看相片。

陸先生珍藏舊照不多，他年輕時高大英偉，歲月真的沒有放過任何人。

老先生喜歡心型面孔秀麗的女子。

家申撥電話回家，保母告訴他：「太太回娘家打麻將，不回來吃飯。」

家申走到露台，發覺秋意已濃，有點寒意，他驀然看到沙發背上搭着一件羊毛衫。

啊，那是給他用的吧，這樣體貼。

他到浴室，看見設備俱全，便把鬚根清理。

留着鬍髭見老人，實在太不禮貌。

他到頂樓，走進陸先生的私人空間，小小用膳間，老人坐輪椅上，看到客人，相當高興。

「家申，沒想到你如此用功。」

家申臉紅。

他坐在陸先生右側。

「我是寂寞老人，難得有人陪我吃飯。」

吃的是清淡中菜，很對家申胃口。

「你不煙不酒？」

「我會喝一點。」

「醫生一滴不讓我喝。」

家申微笑，「他們十分可惡。」

「所有女伴卻從來不管我，每個女子都可愛，直至他們成為妻子，然後，兇霸霸管頭管腳，拉長面孔投訴瑣事，變成巫婆。」

家申惆悵，老先生說得一絲不錯。

「半個世紀過去了，不知世情可有變化。」

家申吁出一口氣，「一成未變。」

「男人真慘。」

家申微微笑。

「以後，我們每天都可以聊天。」願望竟如此簡單。

「我樂意奉陪。」

陸老說：「我有一個兒子，長居倫敦，我們已有十年未見，一個孫子，住你隔壁單位，也有個多月毫無人影，幸虧還有孫女比較細心。」

家中靜靜聆聽，他同其他老人有同樣抱怨。

「所以不敢退休，否則更加無聊。」

家中並不多話，但他身體語言很好，使對方覺得關切。

話說到這裏，家中剛想藉故退下，忽然有人進來。

他叫老人：「祖父。」

那年輕人長得像男式時裝雜誌裏模特兒，粗眉大眼，一臉不羈，看也不看客人，斟一杯威士忌加冰，喝一大口，坐到老人身邊，才脫掉身上上衣，那件夾克內裏鑲着剪毛貂鼠皮，打扮竟如此紈袴。

老先生只嗯一聲，「你回來了，這是我客人唐先生，這是我孫兒陸明。」

那年輕人向家中點點頭。

他心不在焉問：「Juin呢，Juin不在家？」

這是唐家中第一次聽到這個名字。

法語Juin指六月份，讀朱因，這麼說來，陸明問及的女子叫陸月，多麼別致的名字，與他同姓，那麼，即是同一祖父陸儒，該是他的堂妹。

只聽陸先生答：「朱因在東京公幹，不像你，她有職責。」

家中察覺到祖孫關係有點緊張。

年輕人卻說：「上星期她到會所查賬，我想告訴她，我們已經整理出來。」

「上月蝕多少？」

陸明看客人一眼，不願出聲。

他的襯衫與褲子都緊得繃在身上，唐家中猜想最時髦的男服正應如此。

「我還有點事。」他站起。

燈下，他的衣褲原來是極深紫色，不是原先以為的黑色，他離開飯廳。

陸先生忽然勞累，男僕推着他的輪椅出去。

家中回到他的單位，看到對面房門打開，他聽到嬉笑聲與音樂，不一會，一個只穿着鮮紅連身花邊內衣褲的艷女自房裏爬出，笑得花枝亂顫，而衣冠不整的陸明則騎在她背上，用皮帶鞭打她雪白大腿。

家中側目，這瘋狂小子已經喝醉。

但這不管他事，他走近電梯口，看到梅管家鐵青面孔低聲說：「明官，請你女客離去，老先生知道會動氣。」

那對年輕男女卻笑得滾成一團。

家中佯裝什麼也看不到，匆匆乘電梯到樓下。

他吁出一口氣。

往回望，橋生路一百號像一座神秘灰色高塔。

他剛想叫車子，一輛黑色房車已停在他面前，司機問：「唐先生可是回家？」

啊，灰塔主人知道他需要什麼。

回到寓所，家中發覺妻子還未回家，孩子已熟睡。

女傭正收拾衣物，行李放一地。

他意外：「去什麼地方？」

女傭比他更訝異：「先生，明早太太與兩個姐姐往新加坡吃喜酒，你忘記了？」

「孩子也去？」

女傭好笑，「連我也跟着旅遊，明早七時，我送孩子到姨母處集合，太太今晚不回來。」

這時他賢妻的電話到。

家中聽見搓牌聲尚未停止。

她說：「接着一個星期，家裏只得你一個人，乖點，我有眼線。」

家中並不覺得好笑。

「那陸先生是一個怎樣的人？」

家申低聲答：「八十歲寂寞老人。」

「且慢且慢，這隻一索是我的——」電話切斷。

那晚家申躺床上，在腦海裏整理故事資料。

那套血紅色內衣與嬉笑聲忽然在眼前閃過。

因為作息時間有異，唐家申在書房睡沙發已有大半年。

饒是如此，一本小說開了頭，總是寫不下去，因頭兩部暢銷，壓力比寄望更大。

唐家申才閉上眼，小女兒已醒來挨到床邊，用小小手指野蠻地撥開他眼皮，「Dada，Dada」，她叫他。

家申熊抱她，咆哮一聲，父女笑作一團。

不一會孩子被女傭捉去沐浴更衣，三人由姨母家司機接走。

家申收拾一些衣物前往橋生路一百號。

他打算在那裏住幾天，希望新環境能使他勤工。

對面房門打開，陸明官已經離去，傭人正在收拾，牆角起碼一打空酒瓶。

他走進私人單位，開啟電腦，開始工作，他把陸儒的愛情故事重組，尋閱許多半個世紀以至更遠之前的風俗習慣。

陸儒出身富家，滬籍人士，父親早逝，十二歲已跟叔伯商號做學徒，他有語言天份，大早說得一口標準英語，家長派他見客，他應對如流……

寫別人的故事比寫自己的故事容易。

開頭略為躊躇，稍後寫得較順。

天啊，家申暗想：天下竟有此營生，說故事為生，好像缺乏男子氣概。

他訕笑自己：唐家申，你自信何在？

中午，女僕進來問他：「唐先生午膳想吃些什麼？」

「一碗麵就好。」

「那麼雞絲煨麵可好？」

家申點點頭。

他忽然想起，那種上身連褲的內衣，叫做teddy，以前他有個女朋友，在牛仔褲T恤下也穿那個，十分誘人，他最喜歡那套，是白色的香蒂宜花邊。

不一會食物送上。

除出麵，還有小菜：清炒青菜，蛋餅、粉蒸肉，都只一小碟，當然，還有一顆他喜歡的玫瑰酥。

這樣的上賓待遇，使家中覺得他似古時跟新婚妻歸寧的新郎官，他那一代，自懂事起，不是快餐，就在家吃火腿三文治，可樂澆在爆谷上是最佳零食，到今日，在家裏，孩子們比他吃得好。

真是靜寂，連音樂聲也無，亦不見寵物，確是寫作好地方。

小客廳一角放着的銀盤子上有各式酒類。

下午家中靠着沙發盹着。

片刻他聽到門外有聲響，經驗告訴他，沒事不要開門，千萬別去張望。

洗把臉，他繼續工作，忽然想起還沒有讀報，他到樓下公園對面的小檔攤買

報紙雜誌。

天氣真的涼了，又下着陰雨，家申撥起外套翻領，回到一百號。

走廊裏放着幾件已經破舊的尼龍袋行李，家申詫異：這不像陸家用的東西，倒像一個學生。

他推門進去，發覺客廳茶几上擺着一盆梔子花，香氣撲鼻，房間衣櫃門半掩，裏邊掛着幾套西服襯衫，內衣褲俱全。

啊，他簡直可以住着不走。

他一個人靜靜讀報。

電話來了，是他的大姨子：「家申，你的愛妻沒有空，由我代她報平安。她已到娘家，問你在什麼地方。」

家申忍不住回答：「一個叫盤絲洞的艷窟。」

大姨哈哈笑，掛上電話。

連家申的妻子，她們是長不大的三姐妹。

女傭敲門進來，「唐先生，如果你不介意，陸先生說，一起吃飯可好。」

家中修理鬍髭，梳好頭髮，換上西服，一本正經陪主人晚飯。

老人有點累，他說：「今日自醫生處回來，整天沒胃口，」他吩咐廚房給他做紅燒粉皮魚頭，又看見客人面前有小碟黃豆蹄膀，「把那個給我。」

看護讓他吃藥，老人忽然發脾氣，「我吞不下，我不吃，」像個孩子，一掌把藥掃到地上，他大聲叫：「朱因，朱因，叫朱因來！」

家中吃驚站起。

「家中，打開露台窗，我覺得悶熱。」

家中急急推開長窗。

他轉頭，看到一個年輕女子匆匆奔進飯廳。

家申立即張大雙眼，向她凝視。

那女子約廿餘歲，高眺身段，皮子雪白，頭髮攏腦後，穿一件翠綠色絲絨露肩晚裝短裙，赤腳。

那身綠像阿瑪遜森林裏生長的大鸚鵡鳥羽毛，耀目生輝，叫她的皮膚更白，櫻唇更紅，眼瞳更烏。

美色當前，唐家申看得呆住。

都說他好色，一點沒錯。

家申忽然明白為什麼好看的人俱色相，如此豐富顏色，才能拼成賞心悅目圖畫。

那女郎不覺有客人存在，傭人給她端來一張腳櫈，她坐到老人身邊，把他的手放在肩上，用臉合着，然後給他吃藥。

說也奇怪，老人見到她，乖乖地一聲不響，靜靜把藥吞下。

這時女僕取着一雙玫瑰紅高跟鞋，過來給她穿上，又把一副紅寶石大耳環替她戴好。

她緊緊抿着嘴，可是豐滿的嘴唇仍然肉鼓鼓地非常性感，晚服低胸，俯身間家申可以看到她一半胸脯微微波動。

她站起，驀然發現老人面前的油膩食物，臉色一沉，看見附近有隻空花盆，她踏着高跟鞋跑過去拾起，然後回到餐桌前把所有食物連碗筷掃進花盆，噹啷啷一陣響，叫傭人取走。

一連串大動作看得家中發獃。

陸家年輕一代真是一個比一個精彩。

陸老不但沒有生氣，反而哈哈大笑，「家中，你見過如此野蠻的女子沒有，哈哈哈哈哈，這是我孫女陸月，一回家就給我看臉色。」

那叫陸月的年輕女子這才看到有外人，她一怔，伸直雙臂，朝唐家中微微鞠躬。

老人更加開心，「太遲了，朱因，人家已經看到你粗魯一面，第一印象深入人心，呵哈呵哈。」

笑是最見效的一帖藥，陸老臉上晦氣一掃而盡。

這時女僕端上一碗糙米粥給老人，只有一碟鹵蝦以調味。

陸老說：「朱因坐下陪祖父吃飯，家申，你坐我左方。」

家申的靈魂這才緩緩歸位，手腳又可以移動，緩緩走近餐桌坐下。

離得陸月只有四五呎距離，他目不轉睛看牢她。

如此瞪視異性當然不是君子行為，家申心中慚愧，他想轉移視線，但是此時此刻，他身上許多部位都忽然成為不隨意肌。

家申看着女郎的五官，她正垂頭喝湯，只見蛾眉又長又細，一根根數得清，眼瞼直飛到鬢角去，她並不是標準美女，嚴格來說，臉盤太小，嘴唇過腫。可是拼在一起，說不出好看，她有一絲神秘狐媚的氣質，只有心細如塵似唐家申才可以覺察得到。

美色當前，家申震撼得心酸，他記得只有在十五歲時初見高中插班生陳俊瑩之際，才嘗試過這種進退兩難之情：看，還是不看？他已經好算是中年人了，生命有涯，若看也不能看，未免太過委屈，可是如此貪婪，說明他心底是何等飢渴。

家中忽然自憐，鼻子發酸。

只聽得陸老說：「朱因，你不是一直想做作家？你可請教唐先生，朱因在大學副修創作。」

家中定一定神。

陸月忽然伸出筷子去挾菜，動作略大，胸前好像有什麼會隨時捽出似，家中呆視。

「怎麼，見到真的作家，反而出不了聲？她寫過幾個短篇，寄往出版社，石沉大海，哈哈哈。」

無論什麼，只要有關這個孫女，陸先生都會開心。

陸月仍然不出聲。

從頭到尾，她不發一言。

這時，女僕進來，在她耳畔說了幾句。

陸先生問：「什麼事？」

女僕連忙回答：「一位張先生在會客室問：朱因準備好沒有，他已等了很久。」

沒想到陸先生冷笑一聲，「給他坐着等，還想怎樣，如此不耐煩，可以馬上走！」

女傭立刻出去回覆。

陸月卻不動聲色，臉上一絲異樣也不露。

老先生發牢騷：「那時我們站雪地裏，等閒一等三五個小時，家申，你說是不是。」

家申不敢說他從來沒有那樣做過。

終於，一頓飯吃完，老先生也累了，陸月幫他推出輪椅。

家申緩緩站起，走到外邊，看到一個高大的年輕人握着陸月裸肩不放，不知在她耳邊說些什麼。

他的手一上一下不停撫摸她雪白玉臂，嘴唇趨近她雲鬢，漸漸無禮。

家中只得站在角落不動。

這時梅管家走出，在遠處說：「朱因，陸先生有話同你講，時間已晚，你別出去了。」

那年輕人低呼：「什麼？」

管家只說：「張先生，送客的車子在樓下等。」

陸月一點異議也無，調頭跟着管家走。

那年輕人叫她：「朱因！」

她像沒聽到一樣。

那天晚上，家中久久未能入寐。

他心浮意躁打電話到新加坡。

妻子訝異告訴他：「要同女兒說話？晶晶已經睡了。」

「叫醒她，我想聽她聲音。」

「你怎麼了，想念家人？要不要來與我們一起？」

家中咯一聲摔掉電話。

無眠，索性起來打開露台窗戶，他開始工作。

他忽然聽到微弱印度釋他樂聲。

家中一向覺得釋他不像樂器，那是印度民族五千年來的苦難，低低吟迴，欲言還休，終於漸漸低沉，化為晨曦與黃昏的歎息。

是誰在凌晨聆聽釋他。

可是陸月？

呵，一個有靈魂的美女。

第二天上午，梅管家對他說：「陸先生約你晚膳。」

「沒問題。」

「陸先生說，什麼時候可以看到第一章，他會讓朱因讀給他聽，他如有意見，由朱因寫下，轉告給你知道，唐先生可看看是否可以更改。」

「明白。」

那意思是，他越快完成工作，越快可單獨與陸月會面。

梅管家又說：「唐先生一定很奇怪我們怎麼叫陸小姐朱因，那是陸先生吩咐：孩子們直呼名字即可，以免折福。」

家申點頭。

獲得動力，他埋頭苦幹，寫得比平日快十倍，可是一章書，也總得寫個多星期。

他是左撇子，用一種極廉宜的走珠筆寫稿，他不是不會電腦打字，但總覺那樣的原稿像突發新聞，不像小說，況且，也從未有人要求他打字，唐家申交得出稿件編輯們已經很高興。

下午，他想起幾天沒有運動，又記起那兩座漂亮泳池，他換上短褲乘電梯到頂樓，推開門走近暖水池，他取過一塊大毛巾，這時發覺有人已在訓練池。

那是陸月。

她練的是蝶式，只見她用美妙姿勢伸出雙臂奮力迎向激流。

這時，家申發覺她沒有穿着泳衣，她裸泳。

家申雙腳像被釘在地上，動彈不得。

看，還是不看。

當然是看，剎那間他有了決定，心頭有種被釋放感覺，他靠在一角，靜靜看着那晶瑩如雪的膚光。

不久，陸月自訓練池起來，躍進大池。

家申看到她全身細節。

她四肢十分纖細，可是，胸部卻豐滿過人，像畢加索形容情人瑪麗鐵莉茲：似兩隻粉紅色蘋果般美麗。

她來回慢游，曼妙如人魚，好了，家申同自己說：偷窺即是偷窺，你好走了。

他奮力移動雙腿，走出泳池範圍。

一顆心別別跳，回到書室，咦，幹甚麼？呵，寫作，忘記帶字典，可在網上

尋找資料，要不，問管家圖書館在哪一層樓。

唐家申六神無主地踱步，忽然大聲慘叫一聲。

他打電話給妻子：「女兒呢，叫她聽電話。」

妻子把小孩抱到電話前，「是爸爸。」

那快樂的小小孩亮響大聲叫：「Dada！」

家申落淚，「我是爸爸。」

他把幼兒當救生圈，可是聽到她的聲音，他知道女兒救不到他，無人可以救他，唐家申已經失救。

妻子問：「家申你是怎麼了，表姐邀請我們坐船往夏威夷群島，你可要一起，喂，喂——」

那心跳未曾安靜，越接近黃昏，越是揪動。

家申喝伏特加澆愁，陸月會不會在今晚出現？

他換上西服，走到飯廳，只見一雙明亮的眼睛與他招呼。

認了命也好，他盡量鎮靜向她點頭。

今晚陸月穿一件紅色蕾絲上衣，全是花邊網孔，引人遐想，決定要看，家申索性看個夠。

陸先生說：「家申，你來了，今晚，他們讓我吃一小塊魚肉。」

家申坐在老人右方。

「天天有人陪我吃飯，真開心。」

陸月不出聲，替祖父鋪好餐巾。

家申明白到，她每天打扮如此艷麗，是為着伴老人吃飯，這也是一種孝心，久病的陸老先生若再看到黑白灰，心情豈非更加沮喪。

他看着陸月久了，發覺那件蕾絲上衣打橫織出一串英文字母，不留神還真看不出來：「LONESOME」，天，是寂寞，誰寂寞，陸月你寂寞？

老人忽然問：「家申，朱因是否漂亮？」

家申立即點頭。

「朱因，家中是否像年輕時的我？」

朱因不出聲。

老人提醒她：「同樣長方臉，高大身型。」

朱因忽然開口：「還有天然似笑的嘴角。」

她的聲音略為低沉，韻味十足，比家中想像中還要動聽。

會笑的嘴角？家中聽過別人那樣講，他的上唇，長得像丘比特的弓，嘴角向上彎，不笑也像在笑，討人歡喜，可是男人到了三十多歲，還只得一張漂亮的嘴，卻非恭維。

陸先生哈哈笑，「還有，家中的女朋友也與我一樣多。」

家中忽覺尷尬，又不好申辯，面孔漲紅。

陸月笑起來，色若春曉，這是家中第一次看到她笑，他像喝多了幾杯似的。

老人握着孫女的手親吻。

家中敏銳，覺得他倆親暱曖昧。

就在這時，有人進來，啊，是陸明。

他穿着黑色窄身西服，粉紅色襯衫，一進門便叫祖父，又說：「朱因，你也在。」

他雙手搭在堂妹肩上，趨下臉，要親吻她耳鬢，朱因卻輕輕站起，滑脫他雙手。

她走到家申身邊，替他添滿酒。

陸月要避開他。

斟完酒她索性坐在家申身邊，距離更近，家申可以聽到她呼吸聲。

陸明那漂亮的面孔變色，他不出聲，拿起陸月茶杯，一飲而盡。

這是大哥對妹妹的應有態度嗎，當然不是，家申疑惑更重。

陸明隨即說：「我有事出去。」

他頭也不回的走了。

陸先生說：「你看看明官是什麼態度。」

陸月說：「我也有事。」

老人說：「你看看這兩個年輕人，從小鬥到大。」

只剩下家申陪老人下棋。

玩的是獸棋，有一隻老鼠不見了，用小小圓卡紙代替，上邊用顏色筆繪着幼稚的老鼠，由一個化字變化而成那隻，家申不禁好笑。

陸老說：「這是朱因所繪。」

家申輕輕撫摸紙棋。

他把那隻鼠棋悄悄藏到口袋裏。

他居然偷竊主人家財物。

回到房內，他推開窗戶，可是，他沒有聽到釋他的嗚咽聲。

寂寞，她在衣服上標明。

家申想答：我也是，陸月，我也是。

第二早天未亮他起床，說什麼也不敢再到泳池，他換上運動衫到對面市肺公

園跑步。

可是，在大門偏偏碰到陸月。

早知道還是游泳的好。

此刻進不是，退不是。

只見她也穿運動衣，戴絨線帽與手套，看到家申，點點頭，奔出門。

有那樣冷嗎？

清晨，果然氣溫低，陸月臉上一點化妝也無，頭髮毛毛，像個小女孩，與平時盛裝完全不同樣子，少卻若干威脅性。

家申跟在她身後緩步跑。

陸月夠氣，跑了大半個圈子足足一公里尚未氣餒，家申不徐不疾跟在她身後。

路邊熱狗檔開始營業，她停下，買早餐吃。

真納罕，放着家裏豐盛食物不吃，跑街上買這些。

家申看着她在熱狗上擠大量芥末。

他也要一客，還買了咖啡，並替她付款。

她向他道謝，咬一口，芥末滴到胸前，家申想替她拭去，手伸到一半，又縮回，太不像話了，唐家申，你還有無腦子，你到底想做什麼。

陸月走到一張長櫈坐下吃簡單早餐，家申陪着她。

他輕輕說：「還得跑回去呢。」

她忽然說：「來回的路都不好走。」

家申問：「這是你深夜聽釋他樂的原因？」

朱因意外，「呵，你知道我的秘密，現在，你非得與我結婚不可了。」

家申怔住，沒想到她會如此調笑。

「不過，」陸月說下去：「你已經結婚，一直戴着婚戒。」

家申低頭，是嗎，他還記得他有家室？

這時陸月站起，有黑色大車緩緩駛近，司機來接。

她示意家申也上車。

家申坐到她身邊，一路沉默。

在這狗一般生涯裏，使得一個人一天天活下去，不外是這樣小小蜜之味。

他的心跳得很厲害。

管家看到他們一起回來，有點意外。

家申淋浴後繼續工作。

妻子告訴他，因盛情難卻，已決定帶孩子們一起乘船遊覽夏威夷群島，得遲數天返家。

她是粵人，家人都在一地，鬧哄哄大家庭，感情十分融洽，因為祖上有賺錢的小生意留下給他們過活，吵不起來。

但是結婚數年，家申始終無法投入她一家人。

小生意人都有一個樣子：精明、世俗，並且有點氣焰。家申與他們談不來。

那邊陸月已經回到六樓辦公室。

助手向她說：「你讓我調查的那個人，資料部說，陸先生已經查過。」

「你得到什麼消息？」

「唐家申在本市其實是個名人，古歌上刊出照片及履歷，但他是個低調寫作人，從不接受訪問，並無一手資料。」

「一些數字總還有根據。」

助手說：「唐先生父母在他兩歲時離異，他隨生母生活至十歲，她患癌症辭世，他只得與父親居住，但他也在他廿歲時離世。」

陸月想，他也是個孤兒。

「唐先生結過兩次婚，第一次很年輕，對象是大學同學，維持了四年，分手不久與第二任妻子張琳結合，育有一子一女，分別是五歲及兩歲。」

陸月「嗯」一聲。

「唐先生本在大學教書，兼職寫作，他獲得校方賞識，可是大好前途，因為他——」

「因為他什麼？」

「他與系主任太太傳出緋聞，他受勸辭職離校，據有關人士說，他行為散漫，放蕩好色。」

陸月嘻一聲笑出來。

連助手都說：「男人就是男人，句號。」

「第一次為何離婚？」

助手答：「我也離過一次婚，再冷淡死拖下去也沒意思，不如分開。」

「當初呢？」

助手又說：「當初也不知是怎麼結的婚，一半是怕寂寞，另一半是社會壓力吧，凡人就是這麼過活，朱因，你不同，你是小公主。」

陸月訕笑，「我還算小？這份家當，也不是我的，我只不過是陸氏機構會計及精算部門主管。」

助手說下去：「唐家申長得十分漂亮，英俊的面孔身段有種書卷氣，他不喜

露面，也不多話，幾本著作相當暢銷，可惜不願多寫。」

「那麼，何以為生？」

「他妻子有點妝奩。」

啊，原來如此。

「陸氏不是打算收購標準出版社嗎，最好連旗下寫作人一起簽約，電腦再進步，該一行還是全靠人腦，作者極為重要，重整後把標準出售，可得利潤。」

朱因卻想，已經結過兩次婚，「他幾歲？」

「三十六，新中年，男人最徬徨的時刻。」

這時會計部同事進來開會，她們只得停止談話。

下午，女傭進來替客人整理地方，放下鮮花，午餐以及當天報紙，服務比一般酒店周到。

「陸先生還是希望與客人一起吃飯。」

有時陸月會在，有時不。

那天晚上，她沒有出席，家申固然失望，可是，也放下心來。

陸明卻出現了，他說：「唐先生，招呼不周詳，請諒。」

「別客氣。」

老先生問：「明官你打算如何招待客人？」

「到我們橋生會所參觀一下如何？」

家申只得說好。

晚飯後陸明先陪他參觀一百號飯店，「這也是我的生意，託賴，很受人客歡迎，座位已訂到十二月。」

餐廳佈置優雅舒適，名貴而不耀眼，品味頗佳。

陸明問：「唐你喜歡吃什麼菜？」

家申輕輕回答：「與喜歡的人在一起，吃熱狗就很好。」

陸明微笑，「浪漫主義，可惜這年頭，女士們都喜歡豪華場面。」

陸明請甜品師傅取出銀盤，上邊放着許多糕點，但家申看不到玫瑰酥。

陸明又說：「人生無常，先嚐甜品。」

這時有美貌女子向他迎來，吻他臉頰，看到家申，一怔，「請介紹給我認識」，手已經搭住家申手臂。

家申輕輕閃開。

陸明笑說：「ＢＢ你有我還不心足。」

那女郎答：「那麼多男人，那麼少時間。」

家申不禁有氣，一直還說男人好色，再冤枉沒有。

陸明陪家申到橋生會所。

門外站着保鏢，看到陸明恭敬招呼。

原來陸月的大哥儼然是一個小小白相人。

他對家申說：「ＢＢ是一個頗有名氣歌星，如不是太過愛玩，可以更紅，她們在一百號吃完飯，會過來這邊跳舞。」

「陸月也喜歡嗎？」

陸明笑，「你叫她陸月？祖父與我都叫她朱因，我這個漂亮的妹妹不愛熱鬧。」

他倆走進會所。

陸明說下去：「朱因每晚衣着艷麗，那是祖父吩咐，他病了六七年，十分厭煩，叫朱因穿鮮色，吩咐家裏插紅花，朱因平時上班只穿白襯衫灰套裝。」

啊。

會所內全部用深紫與金色絲絨，十分冶艷，時間還早，客人未到，制服暴露的女侍笑着迎上，「明官，這麼早。」

「記住唐先生，他是終身貴賓。」

「明白。」

陸明問：「唐你喝什麼？」

「可有咖啡？」

陸明微笑，「你是老派人。」

家申聽了很受用，他浪得虛名，一直委屈，沒想到陸明替他平反。

這時，會所天花板上忽然落下一匹紅色緞帶，家申抬頭看去，一個半裸女子纏着紅緞帶緩緩翻滾而下，姿勢曼妙，神態冶艷，十分誘惑。

家申看得發獃，這麼新鮮！

「這是會所表演之一。」

那女子落到地面站定，朝他們飛吻。

陸明說：「那邊還有。」

家申不得不跟着他到酒吧後方去開眼界。

他心裏想，橋生會所，根本是個軟性色情場所。

陸明自酒保手上接過一枚鎖匙，在一扇門孔轉動，那扇門忽然朝上升去，隔着玻璃，一個少女媚笑着朝他們眨眼，她緩緩脫掉外衣，走上彈床翻筋斗。

家申對這些一點興趣也無，連忙轉過身子，他說：「會所生意一定好得不得了。」

在紅燈區，也有這種玩意，十塊錢隔着玻璃看一分鐘。

陸明有點詫異，「不夠勁道？」

家申陪笑，「我還有工作。」

他回到寓所。

在書桌前坐下，他忽然苦笑，在廿多歲時他已經不喜色情場所。現在他只希望與了解他的人坐緊緊聊天溫存，那已經是天堂。

深夜，有人敲門。

家申揚聲：「誰？」

「宵夜。」

家申走過去開門，「不用了——」

門外站着一個穿金色閃光緞子晚服的濃妝女子，假睫毛似兩把小扇子，她刻意嘟起紅唇，一隻手撐着腰，另一隻手握着一瓶香檳。

她笑笑，「你好，英俊的人。」

家申幾疑看錯聽錯，他只得說：「這裏不是酒店。」

「明官叫我來，我叫瑪茜。」

家申這才恍然大悟。

如此殷勤招待，他無福消受。

他很禮貌的說：「我想不，我在等一個人，你請回吧。」

那金衣女像是不相信有男人會拒絕她，極可能也從來沒有男人曾經那樣做，她怔住，「你叫我走？」

家申答，「我等的人就要到。」

他掩上門，上鎖。

他吁出一口氣，坐到安樂椅裏，他不是一個沒有選擇的人，很多時連他自己也不相信會那樣傻。

第二天一早，他起身跑步，但見不到陸月，那小販出售的熱狗，味道變得似厚紙皮。

他在長櫈上坐一會，一隻金毛尋回犬走近他，家申伸手摸牠脖子，狗主人是一妙齡女，家申不等她招呼就立刻離開現場，以免節外生枝。

他到出版社轉了一趟，老闆迎出。

「家申，貴人踏賤地，有何指教？」

家申坐下，「你瘋了，用到這種字眼。」

「家申，工作進度如何？」

「比想像中理想。」

「陸儒是個神秘人物，你吃得消嗎？」

「成功人士通常深諳待人接物之道。」

「交出第一章沒有？」

「今日可望完成。」

「啊，那是超時完工呀，家申，你脫胎換骨。」

家申苦笑。

「你來幹什麼，可是聽到消息？」

家申一怔。

「某集團要收購標準出版社，老闆決定出售套現，改做地產生意，新主人打算嚴格篩選員工。」

家申對這些事一點興趣也無，反正他完成這部份作品，便與標準無拖無欠，他也打算結束寫作生涯，重返大學教書。

「家申，你毫不關心前途。」

家申拍拍褲袋。

老闆自口袋取出錢包，「這是我一切，先拿着。」

家申只得接受他好意。

「你向你賢妻說一聲，男人身邊無錢一樣可以作怪，把你所有版權費支走，並不是辦法。」

家申不出聲。

他拍拍家申肩膀，「一味刁蠻專橫，並非為妻之道。」

家申離開出版社，回家取些日用品。

打開門，冷清清，明知無人，他也揚聲：「喂，喂。」耳畔像是聽到小女兒咚咚咚往他奔近，大聲清脆地叫他。

若果離婚，他知道妻子一定會把兩個孩子帶走。

她決不會放過他饒恕他。

後悔結婚嗎，家申用冷水洗一把臉，他也說不上來。

他的心已被抽離肢體。

家申看到丟在地上的洋娃娃，他拾起放好。

他取過所需用品，便關上家門離去。

他找到理髮店，剃一個平頭，大上海的三號說：「不知怎地，最近許多年輕人到這裏來剪陸軍裝，據說又流行了。」

家申整個下午都專注工作，終於把第一章整理出來。

他吁出一口氣。

管家進來，「唐先生有事找我？」

「稿件完成，不知交給你可適合。」

「呵，我代朱因接收，她任編輯，」一看，「這是原稿，可有副本？」

家申搖頭。

「我立即去打印。」

家申把第二章資料重讀，這章不好寫，女方是有夫之婦，但陸儒對她着迷，他這樣形容：「那是一種不潔的強烈色慾，我只想鑽到她皮子底下。」

家申震驚，他從未也寫不出那樣貼切句子，當事人的熱烈痛苦可見一斑。

如此赤裸走進陸儒世界，始料未及，一般人寫傳奇，都會吞吞吐吐，隱惡揚善，家申佩服陸儒勇氣。

那邊陸月收到原稿及副本，吩咐助手：「把原稿鎖起，副本打字，陸先生的工夫，你親手做，內容不可外洩。」

助手答聲明白。

她忽然問：「唐家申，是否同傳說中一般好看？」

陸月沒有回答，她忙得不可開交，辦公室堆滿下年度簿子，半晌才抬起頭，好看？是很英俊，但可不及另外一個人，在陸月心中，那個人，無人可及。

她惆悵一會，鼻子發酸。

助手着手把原稿打字。

這時管家問：「朱因你可與祖父晚飯？」

「遲些我才去看他。」

她到資料室去一回，片刻返來，發覺助手伏在桌上飲泣，「咦，」她走近，「這是什麼一回事，誰欺侮你，說出來，我幫你出氣。」

助手抬起頭，眉目紅腫。

「誰對你無禮？」

助手把一疊稿紙遞給她。

陸月一看，原來是唐家申的第一章，她極為意外，「不是吧，寫得如此動人？」

助手點頭，一邊把淚水拭盡，「文字清淺，但是感情真摯無比，難怪陸先生要找唐家申執筆。」

陸月一愣，不禁坐下，「你去洗把臉。」

她也讀起原稿。

那邊飯廳，陸老一見家申走進，便說：「過來。」

家申走到他身邊蹲下。

他把一隻信封放進家申袋裏。

家申揚起眉毛。

老人說：「是逾時工作津貼，你廿四小時都在這裏，受之無愧。」

家申漲紅面孔。

「喝什麼？今晚只得你與我，不醉無歸。」

家申少年失去父母，許久不遇如此恩惜，不禁感動。

老人忽然問：「家申，你可嚮往名利？」

家申據實回答：「從不，若免費給我，還可考慮，要我苦苦追求？免談。」

「呵哈，同朱因一樣。」

家申忽然微笑，怎麼會一樣，陸月身邊堆着金山銀山，自然視若無睹，他唐家申卻已借貸度日，還如許疲懶，無藥可救。

「戀愛過嗎？」

家申點點頭。

「喜歡什麼樣的女人？」

家申心中一個名字幾乎衝口而出，好不容易忍住。

「最愛女人哪一個部位？」

家申坦白，「全愛。」

「一定要挑一個部位呢，雙眼、嘴唇、胸部、足踝？」

這時有人推門進來，原來是陸明，他聽到祖父的問題，順口答：「她的雙手。」

剛剛家申也回答：「小小靈敏不規矩的手。」

陸先生哈哈大笑，「有趣之至。」

陸明順手脫下身上一件鴕鳥毛維孔納織大衣。

家申心想，廿多歲就穿這種名貴衣料，中年不知穿什麼。

陸明內裏只穿一件棉背心，不愧是年輕人，一身肌肉圓潤健美，左臂紋身，一條鯉魚自水花四濺中躍起，彩色斑斕，還有一行字。

陸明笑着坐下，「她們的手，很會四處遊動，我最喜歡小手輕輕不停撫摸我鬍鬆及胸膛。」

家申不出聲。

他終於看清楚那行法文歌德字體：pour toujours juin，永遠的六月。

六月是他妹妹，當然，你也可以說他愛煞一年中的六月。

陸明問：「朱因呢？」

他祖父答：「朱因有事，她在讀家申寫的原稿。」

家申卻在想：有多少人會把妹妹的名字紋在臂上？

陸明站起，「我到會所，唐，你也一起？」

家申連忙答：「我得早點休息。」

陸明忽然這樣說：「我一直想從事寫作，小時我嘗試寫過劇本，是一個愛情故事。」

家申苦笑。

不可思議，幾乎他所認識的每一個人都想過執筆寫作，彷彿這是一門至為絢爛的行業。

陸先生說：「家申，有你在真熱鬧，我都不捨得你走。」

家申惻然。

喝完咖啡他回房看書。

這時，妻兒在夏威夷哪個島嶼遊樂？

那邊，陸月也讀完第一章。

助手問：「如何？」

陸月輕聲答：「沒想到寫得如此婉轉，感動人心，他應當可以成名。」

「你這話，人家已經十分有名，是你孤陋寡聞，住在象牙塔裏，不知民間哀樂。」

陸月不出聲。

「我們這一代，說實話，沒有資格也已失去追求愛情的憧憬，訕笑燭光晚餐及跳舞到天明，又不是結婚，我甚至不計較志同道合，給我一個caveman，Neanderthal不妨，至要緊性感。」

陸月輕笑，「要有一雙大手，握住女伴的腰舉起她。」

助手說：「厚茸茸體毛……」

陸月忽然想起一件往事，默住。

十多歲的時候，她冒失，忘記敲門闖入一個人房間，他正更衣，脫去襯衫，光着上身，她看到呆住，他胸肌發達，而且佈滿黑鴉鴉濃密汗毛，她意外之餘，哈一聲叫出來：「你有hairy boobies！」使他尷尬得無地自容。

陸月雙眼潤濕，她站起，「我要向祖父讀稿。」

家中在書房操作，他側耳想聽鄰室的釋他樂，卻聽到敲門聲。

家中立刻用電話找到管家。

「打擾你對不起，」他說：「有一個女子連續第二夜敲我房門，我不想開門。」

管家連忙道歉：「我立刻處理。」

家中鬆一口氣。

三分鐘後管家電話到了：「唐先生，門外是朱因，她說昨天不是她，你要是不便，她明天再來。」

家中跑出開門，果然，陸月站在管家身後。

家申結巴地說：「對不起，請進來。」

管家說：「我替你們做宵夜。」

陸月說：「我只需要十分鐘。」

她在書桌另一邊坐下，攤開原稿。

「我把稿件向祖父讀過，他很高興，一些更正，不過是數據，我都註明在一旁，你看過沒問題，就可以打第二稿。」

陸月已經下了妝，素臉雪白，頭髮攏在腦後，看上去十分稚氣，家申呆呆地把目光留在她水仙一般的臉上。

他想做什麼？

他想撲過去把她緊緊擁在懷內直至窒息。

這時管家親自捧着食物上來，看到唐家申一味盯着陸月，不知聽不聽到陸月說些什麼，她忍不住咳嗽一聲，「唐太太好嗎，孩子們好嗎。」

這叫家申如夢初醒。

他見小碗內盛着幾枚蝦仁雲吞，十分高興，「我喜歡這韮黃。」

這時陸月說：「祖父想請你記住一件事：他所寫的女子，每一個他都曾經深愛過，即使分手，那都是他的錯，是他不夠好，是他沒有福氣。」

啊，真是男子漢。

不是女方見異思遷，並非她們貪慕虛榮，通通是因為他陸儒做得不夠。

唐家申要向陸先生學習：千怪萬怪，不能怪女子。

他點頭，「我明白。」

「你要在文字中大量注入懺悔因素。」

家申笑起來。

這時管家說：「朱因，唐先生要休息。」

家申連忙問：「明晚，一起陪陸先生吃飯好嗎？」

陸月點點頭離去。

家申伏案工作，忽然聽見釋他聲靡靡傳入，一個女子吟唱，其實是纏綿的，

不斷的歎息：「啊——呀——」紓緩人生無窮無盡的磨難。

家中躺到床上。

第二早陰雨，家中照樣跑步。

他沒看到陸月，鼓起勇氣到泳池找她。

管理員說她剛離開。

下午，她差助手把第二稿副本交回給作者。

「正本已送到出版社。」

助手目不轉睛看着唐家申，他只得陪笑。

她已全無藉口，只得退下。

同事問她：「是否文如其人？」

「我對他目不轉睛，天下竟有那麼好看的男子，不但五官身段漂亮，身體語言也十分溫柔，唉，每天早上醒來可以看到那樣的伴侶，少活十年也值得。」

「你會放膽追求否？」

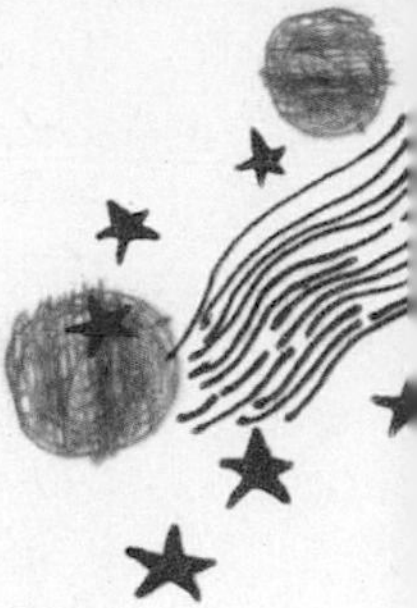

「不，」助手相當清醒，「他寫得那樣動人文字，心眼一定無限複雜，需高度維修保養，不屬於我們普通人，只有朱因才駕馭得了，我等宜知己知彼，知難而退。」

「什麼好的都留給朱因。」

「但是朱因並不快樂，」助手停一停，「唐家申也不快樂。」

「你怎麼知道？」

「老遠就嗅得出來。」

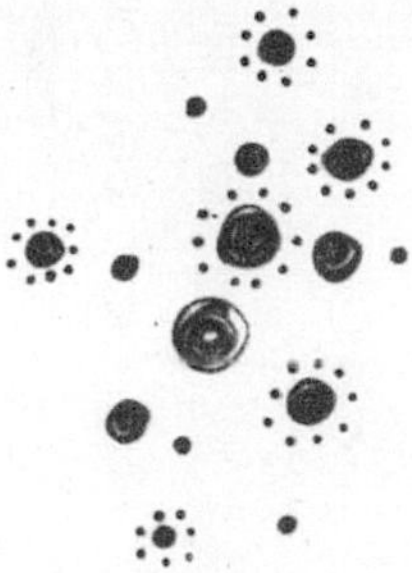

那天晚上吃飯，家申意外地看到陸月。

老先生正抱怨：「百葉卷也不給吃。」

家申忍不住，夾了一箸，放到他碟子。

老人十分歡喜，立刻送進嘴裏。

陸家上下從未透露老人患什麼病，家申猜想是癌症，能拖那麼久，很可能是淋巴癌，如非荷堅病毒，可用抗體醫治，五年生存率約有六十三巴仙。

今日陸先生換上雪白長袖襯衫，精神算不錯。

他對家申說：「近窗側櫃第三隻抽屜，裏邊有一瓶酒，斟出來。」

家申一看，是一瓶綠苦艾酒，他斟一點到茶盅，遞給老先生，已經這種年紀，又罹惡疾，根本應該想吃什麼就吃什麼才對。

「謝謝你家申。」

就在這時，門一開，陸月走進。

她穿一件淡青蓮色絲袍，上邊密密繡着淺灰與月白色的花紋，閃閃生光，她沒有化妝，只是搽着紫紅口紅，頭髮攏在腦後，雙耳之上，戴着鑲鑽飛翅型髮夾，非常可愛，像是長了一對翼子。

老先生忍不住稱讚：「朱因今晚好看極了，是不是家申？」

家申點頭。

陸月坐下，只吃了一口海苔香酥蝦。

陸先生說下去：「在狗一般生涯裏，只有見到朱因似水容顏，心情才稍有紓緩。」

那可人兒抿一抿嘴。

「家申，你可會跳舞，懂阿根廷探戈嗎，朱因，陪家申跳一個給我看。」

家申想說他不會探戈，可是與陸月共舞是千載難逢機會，他不由得站起。

女傭取來小小音響器材。

陸月走到他身邊，家申可以聽到她心跳聲，這時，他忽然發覺她絲袍上繡的花紋，竟是兩句行書寫的詩：「如此星辰非昨夜，為誰風露立中宵」，家申忽然迷醉，他的世界裏再也沒有別人，他認了命。

他可憐已屆中年的自己還如此憧憬些許浪漫而一直被誤會好色，他輕輕把她擁到懷中，雙手微微顫抖，好色就好色吧。

朱因輕俏地走了幾步，忽然之間，她的臉趨近家申，她用她的濃眉，自左至右像軟刷似輕輕掃過他的嘴唇，使得家申渾身麻癢。

接着，她的膝蓋碰到他的大腿，家申覺得這個舞哪裏還跳得下去，他只得鬆開手，沒有告辭就離開飯廳。

家申回到房間喘息，半晌他出去想再與陸先生說幾句，卻看到陸月迎面走來，她低着頭，像是沒看到他。

家申實在忍不住，伸手緊緊拉住她手臂，附近有一扇門，不知通向何處，他另一隻手打開門，把她拖進房裏，關上門。

他什麼也不說，緊緊擁抱她，把臉壓在她臉頰，忽然心酸哽咽。

陸月雙臂纏住他腰身，潮熱嘴唇嚅嚅在他臉上摸索。

家申終於鬆口氣，低聲問：「這是什麼地方？」

陸月伸手開亮小小一盞燈，原來是儲物室，放滿枱布床單等物。

家申凝視陸月，用拇指輕輕掃她眉毛，「你毫不掩飾的誘惑我，」他低聲說。

她像是想答：你並沒抗拒，但終於沒有出聲。

家申忽然沒頭沒腦的說：「我已婚，且有子女。」

「我知道。」

家申輕歎，「你知得不少。」

這時她打開儲物室的門，靜靜離去。

那天晚上，一直淅瀝下雨，家申並沒有真正睡着，他轉身又轉身。

終於像是盹着，忽然覺得有人在他耳畔呵氣。

他認得這溫柔的呼息，「陸月」，他叫她。

她輕聲笑。

「你怎麼進房來？」

她沒有回答。

當然，這是她的家，她隨便可以走進任何一間房間。

家申翻身，緊緊擁抱陸月，手放在她胸上。

這時電話鈴卻響起，而且一聽就知道是妻子打來。

果然是她不悅的聲音：「我們在飛機場，你沒來接？」

家申自綺夢中醒轉。

「我馬上來。」

「不用了，大姐夫會送我們回家。」

一邊有小女兒愉快大聲叫：「Dada！」

家申只得說：「一會見。」

他立刻梳洗更衣。

一邊在心中想：昨晚儲物室一幕，也是他做春夢吧。幻與真已很難分清。

在一百號門口，他看到出外跑步的陸月。

他還來不及說什麼，她已趨前吻他臉頰。

家申還來不及反應，陸月已經跑開。

他回到家門，剛好看到女傭幫妻子把行李自車裏抬下，她告訴丈夫：「唉呀，好玩得不得了，原來最美的是可阿伊島，在該處置間別墅專事寫作至好不過。」

兩歲小女兒曬得似小黑炭，更加可愛，她與父親緊緊擁抱。

「一去就兩個星期，唉，都不想回來了，這裏又冷又濕。」

才兩個星期？

家申感覺像是大半世。

他把臉緊貼小女，一句話也說不出來。

妻子沐浴更衣，穿着熱帶風味的便服出來，忽然二話不說，壓到丈夫身上，手摸他胸膛，強吻他的臉。

家申不悅閃避。

妻子不放過他，「你怎麼比我還倦。」

他握住她雙臂，幸虧孩子們跑進房裏救了他。

妻子問他：「你沒有感覺？」

「我得回去工作。」

「放屁，你從不用心工作。」

家申不出聲。

「家申，對不起，我——」

家申已經離開家裏。

他沒有即時回一百號，他走進公園，坐在雨中長櫈上。

不久，有人在他身後撐開一把傘。

他抬頭看到陸月。

「司機說你在這裏。」

她坐到他身邊。頭靠在他肩上，臉色有異。

家申聲音有點沙啞，「你找我？」

「祖父病情變化，醫生着他臥床。」

家申一怔，啊，他問：「你可要守候？」

「他要休息，一會才傳我們。」

「我與你回去喝杯咖啡。」

陸月伸手雙臂抱住他腰身，「我害怕。」

家申陪她到一百號餐廳坐下，侍者認得她，立刻前來招呼。

不到一刻，陸明也來了，坐他們身邊。

陸月問他：「祖父如何？」

陸明低聲答：「我聽見醫生同看護說：『立刻皮下注射嗎啡十毫克。』」

他叫一大壺咖啡三人分着喝。

家申忍不住問：「這種時刻，你倆是否應該通知父母前來商議？」

他們兄妹忽然抬頭看牢唐家申，好不意外，像是在問：什麼，你如此聰敏卻不知情？

家申揚起一條眉。

陸月輕輕答：「我父母早已辭世。」

「對不起，」家申惻然，「我不知道。」

陸明冷笑說：「祖父十年前分一筆產業叫我父親滾蛋，發誓一輩子不要見他。」

家申睜大雙眼，啊這一家人好不寂寞，現在，只剩他們兩兄妹。

這時有人走近，「明官，朱因，陸先生有話說。」

他們兩個立刻去見老人，剩下家申，他剛想回房工作，被人叫住。

「唐家申，大作家，是你嗎？」

兩個男子熟不拘禮，老實不客氣地坐在對面。

「家申，我看見你與陸明官低頭密斟，可是有什麼搞作，喂，士別三日，你與陸家搭上關係？了不起，可別忘記老友，好歹預我們一份。」

這番話如此傖俗，這兩個人那樣陌生，到底是什麼意思？家申呆坐片刻。

終於那人說：「我是陳大文，他是王小聲，你不記得我們曾經共事一家報館？」一伸手過來要搭家申肩膀。

家申心情欠佳，說聲失陪，站起來離去。

他聽到陳大文在後邊說：「唷，一朝得志，不再認人！」

他才進大堂，管家看到他叫住，「唐先生，陸先生有話要同你講。」

家申問：「老先生怎麼樣？」

「醫生說他情況穩定，可是他心情萎靡，他說他不想再拖。」

家申跟着管家到頂樓，推門進去見陸儒，看到老人坐在安樂椅上，精神不是太差，看護走近替家申披上消毒布袍。

「家申，你來了。」

家申在他對面坐下，全神聆聽。

老人卻輕輕說：「我想吃豬油白果芋泥。」

家申看着年輕醫生，那醫生低聲答：「少許不妨。」相當通情達理。

「家申，」他問：「寫作進度如何？」

「一共五章，已在寫第三章。」

「可否趕快？」

家申不禁說：「我們還有許多時間，我想仔細地寫。」

老人遞一張彩色打印圖給家申看：「不久了。」

那張圖片上密密麻麻是紫色斑點，分明是一種病毒，叫人毛骨悚然。

老先生說：「這是我體內非荷堅型淋巴癌細胞。」

家申不知說什麼才好。

陸儒忽然改變話題，「家申，你喜歡朱因？」

家申清心直說：「我恐怕已愛上她。」

「她呢，她怎樣看你？」

「我相信她亦有同感。」

「你們親密嗎？」

「我們曾經親吻。」

老先生忽然微笑，「我高估了你。」

家申臉紅。

「家申，你並非朱因理想對象。」

家申心酸，低頭不語。

「你比她大十年，見多識廣，司空見慣，任何世事不再叫你驚喜，你結過兩次婚，且有子女，她還能奉獻什麼給你？」

家申卻說：「可是，我對她的感情，卻如一個少年。」

「那是新鮮刺激情慾，不會持久。」

家申不敢反駁。

「家申，有選擇，叫愛情，來者不拒，則是色慾。」

家申覺得委屈，淚盈於睫。

「朱因一向寂寞，她自幼是個孤兒，幾乎由梅管家帶大，她比明官懂事，但始終叫我擔心，至於明官，我大去後最多一年，這孩子會自我毀滅。」

家申連忙說：「不會——」不覺哽咽。

「你打算怎樣做？」

家申低聲答：「我已決定單方面申請離婚。」

「為什麼，朱因想與你結婚？」

「我不想欺騙任何人。」

「這已是你第二次婚姻，一定有人會受到嚴重傷害。」

家申垂頭不語，過一會說：「如果陸月答應嫁我，我希望得到你的祝福。」

「家申，請告訴我，你的婚姻為何不能持久？」

家申欲語還休，終於答：「千錯萬錯，都是我的錯，我不是好男人，我是一隻黃鼠狼。」

陸儒忽然大笑，「家申，你我何等相似。」

醫生與看護看到老人歡欣大笑，不禁寬心。

「你與第二任妻子，是怎樣結的婚？」

「她懷孕。」

「啊，原來如此。」

老先生看着他，家申忽然忍不住向他傾訴：「那孩子卻不屬於我，他有雙漂亮的藍眼睛。」

老人歎口氣，「這是你要離婚的原因？」

「不，我十分喜歡小孩，我要求離婚是因為我已愛上陸月。」

「你很坦率，我可沒看錯你。」

老人忽然累了，整張臉塌癟。

家申這時知道，這恐怕是陸先生最後一次與他說話。

醫生暗示他退下，陸先生卻不願放人。

「你為何愛朱因？」

家申答：「她從不問我要任何東西：時間、人身、金錢、承諾……」

老人又笑，他被看護扶到輪椅中。

家申退下，他看到陸月蹲在房門口，雙目通紅。

他扶起她，緊緊擁懷裏，他對她的感情已經公開，他不怕別人說什麼。

他深深吻她額角。

陸月臉色蒼白，但沒有眼淚。

他推門進她單位，發覺佈置完全不同，廳房傢具像自大學宿舍搬返，不但殘舊，且不成套，沙發面子破損，只用一塊被面蓋住，一地書報，無人收拾。

與家申的客房全套淡灰色真皮，可有天淵之別。

陸月個人主義竟如此強烈。

她躺進舊沙發，家申擠在她身邊。

這是天下最好的地方，家申不想再動。

他願意死在那裏。

他的前半生也不好過，二歲父母離婚，十歲時生母離世。

所有不如意事該剎那一股腦兒湧上心頭。

家申歎口氣，他知道這時誰都會覺得他乘人之危：趁人家有事，乘虛而入，與比他小一大截的陸月在沙發上溫存，她受到打擊，正軟弱不堪。

可是，把她抱在懷中的感覺如此良好，她小小面孔在他胸前輕輕來往拭拂，像是把他當一隻大玩具熊，當作什麼都好，家申不願起來。

不知過了多久，正在淒涼地陶醉的他忽然聽到有人敲了兩下門，接着，梅管家咳嗽一聲：「朱因，曾律師找你與明官說話。」

家申只得坐起。

陸月雙目通紅，管家用冰茶替她敷面，輕輕不知說些什麼，兩人出去見客。

家申靜坐一會才站得起來。

他發覺他坐在一疊筆記上，取過一看，卻是陸月大學一年級物理科功課的矢量析釋圖表。

她都留着不捨得收起更不會丟掉，這些，都給她安全感，一個孤兒，能抓住不過是這些。

家申走到臥室門口，不禁莞爾，她連小學的習作都放在架上；勞工紙已經褪色，但是聖誕節賀卡，地球模型，都珍而重之。

全室不見她那些華麗衣飾與珠寶，可見她不在乎。

家申回到自己房間，他忽然決定工作。

下午女僕捧進麵點，「唐先生，管家吩咐：好歹吃一點，大家都需要力氣。」

家申點頭。

女僕又取來地線電話，「唐先生，唐太太找。」

家申只得與妻子說話。

她沒好氣地問：「你在什麼地方，你還有家沒有？」

妻永遠如此兇霸霸，一腔怒氣，父母與姐妹把她寵壞，雖不是大富，卻沒有吃過一天苦，永遠自以為是，長不大，也不願那樣做。

「我到你出版社才找到這個電話，你為何關掉手機？」

家申不知如何開口。

「什麼時候回家？」

他咳嗽一聲，「我需要幾天時間。」

「你怎可外宿？」

「你既然在出版社，老闆會向你解釋。」

「家申——」

「我很好，許久沒有如此專心寫作，希望這次可以給我帶來好運。」這並非謊言。

他掛上電話，更衣出門。

他找到律師好友阿洪。

洪律師見到他歉意地說：「家申，不是我不找你，而是家有惡妻，她斷定你會帶壞我，你有事？」

家申點點頭。

「你看你，數年不見，益發英俊瀟灑，我站你旁邊，如一團番薯，有什麼事？」

家申無奈地攤開手。

「你臉色不妥，家申，不是又要離婚吧。」

家申點點頭。

洪律師歎口氣，「我不怪你，她自始到終沒解釋兒子的藍眼珠來自何處，只是你頻頻離婚，勞神傷財，未能好好工作，影響前途。」

過一會又說：「你開列什麼條件？」

「我沒有任何條件，子女歸她，如她不方便，我太樂意接受。」

「你要知道，她可能不會再給你見到孩子。」

「明白。」

「她亦有權要你一半收入。」

「我並無固定收入，我是一文不值的浪蕩子。」

「家申，你才華驚人，文筆動人，不要妄自菲薄。」

家申頹然。

「家申只有我一人知道你浪得虛名，第一任妻子同富商私奔，第二任妻子給你——咳，咳……我立刻替你做文件，但是家申，君子絕交，不出惡言，她可有同意分手？」

「我已決定離婚。」

洪律師看着他。

「我已愛上別人。」

「家申，上次你愛上一個人，她是你師母。」

家申答：「這不是教訓我的時候。」

「家申，你真倒楣。」

家申不由得生氣，「你踩夠沒有？世上又不只是你一個離婚律師！」

洪律師斟一杯威士忌給他，「我會把文件送到府上給她。」

家申輕聲答：「謝謝你。」

他稍後到市立圖書館找資料搬家。

這才驚覺租金已經貴得他不能負擔，婚後一直住在妻子的嫁妝公寓裏，此刻才明白她為何一直粗聲粗氣。

三十六歲的唐家申竟貧無立錐之地，可恥。

一向貪歡的他統統忘記三十而立，四十而不惑這些金石良言。

他揉揉臉，鼓起勇氣，老着面皮，到標準出版社求救。

一走進出版社辦公室，敏感的他便覺得氣氛完全不同。

從前，他也不是不受歡迎，女職員最喜與他搭訕，無故親近，手搭在他肩膀上，問他要不要咖啡。

可是今日，一進門，不論男女，眾人目光都集中在他身上，大堂靜下來。

家申納罕。

接着，老闆走出來，老遠站住，「唷，我以為是誰，原來是大作家。」語氣諷刺，又酸又苦。

這是怎麼一回事。

家申走進老闆房間，輕輕掩上門，才想開口，已有秘書捧進飲料。

「唐先生，喝茶。」

家申更意外，這裏上下人人叫他家申或是大作家，這唐先生從何而來？

抬頭看到阿闆瞪着他。

家申尷尬地咳嗽一聲，「我有事與你商量。」

誰知老闆面色突變，他粗聲粗氣地說：「唐家申，你要殺要剮，清心直說，

切莫淩遲處死我等。」

家申莫名其妙地看着他。

「家申，這些年我待你不薄！」

這時，辦公室玻璃窗外站滿探頭探腦的同事。

「老闆，你為何激動。」

老闆說：「是否要我走路？」

家申睜大雙眼。

「你愛裝，你虛偽，一小時之前，新股東出了告示，任唐家申為標準新總裁，即日即時生效，舊人去留，任憑唐家申處置，」他把一張打印告示丟給家申，「你要怎樣革命？」

唐家申比他還要訝異。

他這次到出版社是要借貸，沒想到看到一張這樣的告示。

這時秘書敲門，「唐先生，高律師等你。」

家申愕然，他把手按在老閻肩膀，「先待我把事情弄清楚再說。」

高律師在會客室，伸出手來，「唐先生，我們還是第一次見面，我代表陸氏企業與你簽約，這裏是聘請合約，請你讀一讀，標準出版已成為陸氏子公司之一。」

家申明白了，他黯然，這是老先生的意思：啊，唐家申你愛寫作，好，你就打理一間出版社好了，因為我喜歡你。

他垂頭不語。

生活已把他的志氣與理想磨盡，他早已變成一個實事求是的人。

「人事部替你安排了住所，這是地址與門匙。」

陸先生都替他安排妥當。

「陸先生本來要親自與你商談，可是你也知道他健康情況欠佳。」

家申低聲說：「明白。」

「他覺得這份工作你勝任有餘，稍後行政部會派兩名管理科人員協助日常事

務。」

家申點頭。

他讀過合約，簽下名字，律師把一張支票遞給他，「祝賀你，唐先生，有事與我聯絡。」

唐家申從會客室出來，身份已經改變。

人的際遇就是這麼奇怪。

同事們一雙雙詢問的眼光看着他，家申如常低調，輕輕說：「一切照舊，安心工作。」

老闆鬆口氣，像死裏逃生一般，「各人速回崗位，家申，每星期我會把工作報告呈上。」

他又是家申了。

同事們如獲大赦，紛紛專注工作。

老闆問他：「家申，究竟是怎麼一回事？」

家申不知說什麼才好，沉吟半晌，他說：「我還有點事。」

老闆說：「我替你整理私人辦公室，你幾時上班？」

「明天吧，你把明年上半年出版方針給我看。」

「明白。」

他出去搭電梯之際，竟有兩個職員送他出大堂。

一時間唐家申也弄不清楚交的是噩運抑或是鴻運。

回到一百號，女僕告訴他：「陸先生已送進醫院。」

家申耳畔，像是依然聽到老人爽朗笑聲。

「可以探訪嗎？」

「梅管家說，暫時不便。」

家申回轉房間。

寫到傍晚，他粗略完成第三章。

他把原稿交給助手，輕問：「陸小姐呢？」

「她在休息。」

家中這才覺得累，回房倒在沙發裏盹着。

在他鄰室，梅管家與陸月商量細節。

「此刻挑選黑色禮服也是時候了，我叫人到東京採購，那裏有整個部門專售喪服。」

陸月不出聲。

「朱因，時間過得真快，轉瞬廿年。」

「梅媽你同我第一次見你時一模一樣。」

「喲，你我之間還講這種話，肚子餓嗎，好歹喝碗湯。」

她去吩咐廚房。

陸月忽然說：「家中回來沒有，他該吃飯了。」

管家停一停才說：「朱因，你喜歡他可是。」

朱因不出聲。

「唐先生的確是一個好看的男子，但朱因，他不是你的對象。」

陸月揉一揉疲乏的臉，但，她並不想尋求對象。

「唐家申是色狼，我們有他底子，他自高中就有親密女友，那女孩一直工作供他讀大學，直到畢業，他倆結婚，他進文學院教書，不久卻離婚，他勾搭上司妻子，鬧出緋聞，不得不自動請辭，接着又與小生意人家女兒第二次結婚，其間女友無數……如此精彩豐富劣蹟，實在不敢恭維，朱因，男人也有聲譽，聽說，他又在申請離婚了。」

陸月忽然微微笑，這些也與她無干。

「你喜歡他什麼？」

他看着她時，那種單純貪婪的渴望，叫她自覺是女性，他心中只有一件事，他是穴居人，她就喜歡那種原始愛慾。

「我知道，他叫你想起湯吉森。」

本來微微笑的陸月一聽這三個字怔住，忍都忍不住，心頭一酸，眼淚湧流滿

臉，她連忙用手掩住，但是淚水自指縫流出。

連梅管家都大吃一驚，「朱因，真沒想到你至今沒有忘記吉森。」

陸月哽咽。

「可能嗎，那時你才十多歲，那麼久了，你還記得？」

陸月不語。

管家歎口氣，「我還有許多事要安排，朱因，你休息一會。」

陸月躺在沙發裏，索性哭個痛快。

她第一次見到吉森是什麼時候？

那時才十六七歲，考畢業試，十分吃苦，取消一切娛樂，在車上都捧着筆記溫習。

那一年，祖父在政府立法局裏有重要席位，故此警署派一名隨扈給他，那人便是吉森。

吉森高大英俊，這是他中選原因，隨扈見人機會甚多，相貌必須端正，此

外，他品格穩健，不苟言笑，當然，他槍法如神，黑帶柔道。
那一年他十分辛勞，幾乎沒有下班時間，必要時在一百號留宿。
湯吉森已婚，有兩個孩子。
當時陸明在倫敦，一百號上下靜寂無聲，誰歎息都可以聽得一清二楚。
吉森一到，便引起陸月注意。
怎麼說呢，她就是喜歡那樣的男人：英偉、正氣，還有，正眼也不看她。
許多女性覺得把壞男人教好是一大挑戰，但是，把一個好男人帶壞，且非更加成功。
少女挑釁他的耐力。
他越是不看她，她越發要引他注意。
她在他咖啡裏加鹽，他喝一口放下，若無其事另外再做一杯，不皺眉不追究，叫陸月掃興。
在長廊他走過，她伸出腿絆他，他險些摔跤，穩住腳步之後，他不再經過那

條長廊。

她知道他喜讀某報社論，她在那處剪一個大洞，叫他啼笑皆非。

吉森從不吭聲，當作什麼事也沒有發生過，陸月失望，他知道有她這麼一個人嗎？

她是否徹底失敗？

一日下午，她到員工休息室找管家，卻看到吉森一個人背門坐着看報紙喝咖啡。

小小收音機低聲報告新聞，他全神貫注，沒留意背後站着少女。

他把深色西裝外套脫下，薄薄白襯衫透出健美V字背脊，他揹着皮製槍套，細皮帶斜斜圍着肩膀藏到腋下，好似一種內衣。

他的短髮貼在腦後，在頸上形成一個桃子尖，少女凝視他，忽然覺察到什麼叫做性感。

他捲起袖子，露出前臂密密汗毛，陸月看了很久，不出聲，也不再胡鬧，最

後悄悄退下。

真是一個好看的男子。

三個月連續搗蛋，的確在湯吉森心目中留下不可磨滅印象，此刻每一次坐下，他都會悄悄看椅子上有否放着那種會發出放屁般聲響的塑膠墊子。

無人惡搞，他反而寂寞。

當然，無論心中想什麼，面子都不露出來。

他是高級警務人員，感覺何等明敏，一早已察覺陸月身份非比尋常。

不，少女不是陸儒孫女，幾次三番，吉森看到陸儒握住她的手深吻，他對她千依百順，她隨時進入他的寢室，有幾次，她穿着非常冶艷的晚裝。

坐在輪椅裏的陸先生只有看到他的朱因，才會露出笑容，他倆關係曖昧，但肯定沒有血緣。

這一切都不關他的事，他一貫眼觀鼻，鼻觀心。

直至一個萬聖節下午。

少女到員工室討糖。

湯吉森抬頭看到她，不禁發獃。

只見小陸月穿着芭蕾舞裙子，背上戴着紗翼，硬頭鞋，一見他們，輕輕舉起雙臂拂動柔指，用足尖在原地踏步，姿勢優美可愛。

吉森看到她剛發育完美雪白酥胸微微顫動，他再也說不出話來。

這不是一個孩子，這是一個誘人美女。

眾員工鼓掌稱讚，紛紛把糖果放到袋裏。

吉森身邊沒有糖，只有一包熱能餅乾，他掏給她。

少女輕輕說：「謝謝，謝謝。」

小仙子般飛躍離去。

吉森忽然覺得一額汗，他一聲不響，走出露台透氣。

接着一段日子，他刻意避開陸月。

即使碰到她，他也急急低頭，眼光不與她接觸。

陸月報考大學，最後暑假，非常愜意，每早在泳池游泳，下午到辦公室做見習生。

畢業舞會那日，管家對湯吉森說：「陸先生的意思是，讓你陪朱因出席。」

「我？」森吉怔住。

管家笑，「你會跳三步四步吧。」

吉森不知如何回答。

照說，他的職責只是保護陸先生。

「這是他私人請求，他不放心別人，那些中學生，只等滿十八歲喝酒鬧事，他又不好不讓朱因出席，故此勞駕到你。」

「明白。」

「七時正，在大堂等。」

可是，那天陸先生在立法局會議一直耽到六點三十分，回到一百號，已經七時十分，吉森用電話知會管家，要略遲一點。

他回到房間，脫去襯衫，匆匆洗一把臉，正想刮清鬍髭，忽然有人推門進來。

他轉過頭，看到陸月闖進。

他光着上身，連忙抓過乾淨襯衫，已經來不及，他聽見少女哇呀一聲笑出來，指着他說：「You've got hairy boobs！哈哈哈哈。」

吉森氣結：「出去，出去！」

少女大笑退出。

梅管家聞聲趕至，「朱因，你怎麼不敲門進湯先生房間！」

少女繼續咯咯笑，「他遲到，我找他，管家，我看到他整個胸膛都是汗毛，一直到皮帶——」

她被管家拉開。

吉森穿好衣服還在發獃，終於，他鼓起勇氣，走到大堂。

管家與少女在等他。

這時陸月已經換上舞衣。

吉森從未見過那樣漂亮的紗裙：一層接一層深藍色，裙子上點綴少許亮片，在燈光下偶爾閃爍。

她頭髮往後梳，耳邊別着鑲鑽飛翅型髮夾，這少女為活色生香四字重新做出註解。

這時管家對少女說：「向湯先生道歉。」

少女忍着笑，唯唯諾諾，低聲說：「對不起湯先生。」

一絲誠意也無。

吉森能怎樣呢。

畢竟，調戲他的是一個美麗少女，他又如何與她計較。

司機把車子駛近下車，「湯先生，拜託你，午夜十二時前請回轉。」

吉森大驚失色，「你不開車？」

他笑着揮揮手走開，「我下班了。」

吉森心裏喊一聲糟糕，就他與陸月二人？

他叫自己鎮定沉着：昂藏六呎的警務人員，難道怕一個少女不成。

他拉開後座車門，陸月卻一聲不響，坐到司機位旁邊。

吉森把車子駛往一間會所。

陸月一路上不出聲，他漸漸鎮定，在紅燈前，悄悄打量陸月，少女什麼都飽滿：胸脯、臉頰，甚至嘴唇也肉鼓鼓，她有雙東方人的狹長鳳眼，倍添嫵媚。

他把車子停妥，陪陸小姐走進會所。

場內熱鬧極點，年輕男女擠滿舞池，老實不客氣，擁抱跳舞接吻喝酒，有幾個同學一見陸月便接近，把她拉下舞池。

吉森找一張空椅坐下，樂聲震天，他深深吸口氣。

這種地方叫他覺得已經中年：怎會覺得好玩？不可思議。

一眾男生當陸月似蜜糖，緊緊圍住，女孩子長得好，不知道幸還是不幸，怪不得陸先生叫他前來監守。

終於，陸月答允同其中一個共舞。

那小子穿着窄身西服，褲管似香腸，叫吉森側目，這倒還罷了，他似喝多了兩杯，膽子變大，把陸月的手握住，放在自己胸口之上，把她扯近，臉貼臉，另一隻手穿到陸月袖圈之下摸索。

吉森低頭歎口氣，逼不得已站起走近。

他把手搭在小子肩上，「夠了，」他說。

那小子正閉目享受，陶醉得不得了，一下驚醒，自然不是滋味，身為運動健將的他一抬頭，卻看到比他還高大的男子站在面前，而且有點生氣，他只得鬆手，丟下一句：「朱因你帶阿叔來跳舞？」他悻悻退下。

陸月看着吉森，把手遞給他。

吉森聽一聽拍子，這還難不倒他，雖然生鏽，四步卻還記得。

陸月小小腰肢輕而軟，他感覺不到她穿着內衣，她輕輕靠近他，小臉試圖貼到他下巴鬍髭，他把她移開一點，幫她轉一個圈，陸月笑起來。

「你跳得很好。」

吉森不敢說的是：他頗願意餘生留戀在這個嘈吵舞池。

有人遞酒給他倆，吉森說：「當更時我不喝。」

陸月氣結，斜瞄着他笑，「你那麼辛苦？與我跳舞是執行任務？」

這樣的眼神叫吉森怔住一會，他不出聲。

「你打算霸着我不放？」

「我到車上等你。」

「不許你走，整晚守住我。」

吉森看着她，無奈地想，這任務比在街頭巷戰匪徒還要辛苦。

陸月卻不放過她，「為什麼男人也有胸脯，為什麼胸上要有那麼多汗毛，長出時可刺痛，每天怎樣打理，沐浴後可要努力擦乾，抑或用吹風？」

吉森啼笑皆非，一聲不響。

然後，更要命的問題來了：「我可以再看多一次嗎？」

吉森不由得把她擁得緊一些，「我們可以走了嗎？」
她看着他，「去何處？」
「回一百號。」
「我難得出來一次，十二時前絕不回家。」
吉森幾乎想即時辭職。
「你想怎麼樣？」
「一個唇吻會叫我高興。」
「我不能那樣做。」
陸月輕輕說：「那麼，閉嘴，跳舞。」
吉森豁出去，與少女沉醉在舞池裏。
這是他一生之中最旖旎的經驗，人們一直說的不能自已，肯定就是形容他此刻心情。
陸月用她的天然濃眉輕輕擦過他的嘴唇，又往回再做一次，呵氣如蘭。

終於他輕輕問陸月：「可以回家了吧。」

「還未到十二點。」她嘟囔。

吉森拉着她的手一直走出舞池，離開會所。

她忽然緊緊擁抱他腰身，貼住不動。

吉森低聲說，「快別這樣，你只覺一時淘氣好玩，叫人看在眼中，我得關進牢裏。」他幾近苦苦哀求。

小陸月說：「我愛你已經長久，湯吉森，與我結婚。」

吉森告訴她：「我已經結婚，而你還不足婚齡，別胡鬧，回家去。」

他歎口氣，忍不住吻她額角。

他年齡比她大許多，已婚，有子女，且是紀律人員，他不能違背誠信，他必要壓抑控制感情。

就因為喜歡這美麗的少女，他更不可越軌。

吉森用他的大手輕輕撫摸陸月的嘴唇。

他雙眼濡濕，即使他未婚，她也不是他的對象，這個女孩是塔裏的公主，她可是連焓一隻蛋也不會，一生從未進過銀行，亦未曾乘過公路車。

「公主。」他那樣叫她。

那天回到家裏，已經十二點多。

陸月的紗裙團的稀皺，肩帶落下，口紅全在吉森臉上。

接着幾天，吉森不願與陸月接觸。

但是不可避免的事終於發生。

他記得是一個星期日早上，陸先生忽然要見他。

「吉森，」他問：「你在我這裏工作多久了？」

吉森一怔，「陸先生，大約一年。」

「時間過得真快，」陸儒的感慨是真實的，「我整日坐在這張輪椅上，不知春夏與秋冬。」

「陸先生照樣運籌帷幄。」

「警務署長給我通過電話，他說：吉森已屆升級時候，他要派你往蘇格蘭場實習三年，回來，就是警司。」

吉森意外得像踩空一級樓梯，打一個突。

啊，東窗事發，她是他的禁臠，湯吉森實太接近火焰。

陸儒已算得是客氣的人了。

「你回到總部，署長自然會同你說個詳細，吉森，你是人才，我留不住你，這次你連家小一起往英國學習，是個大好機會，好好的幹，前程無限。」

吉森只能低聲答：「明白。」

「這裏沒事了。」

吉森緩緩退出。

老人臉上一點特殊表情也無，絲毫看不出有不開心的樣子，深藏不露。

吉森背脊卻已經出了一身冷汗。

他低頭在員工休息室喝咖啡，忽然想起小陸月有次玩耍，把塑膠蒼蠅泡在他

杯中，他不禁揪心。

這時，有兩隻小小金毛尋回犬奔出來，繞住他小腿轉，咻咻地十分可愛。

小動物也叫他想起陸月，欠少人性，一味驕橫，要什麼就想得到什麼，一隻小狗跳到他懷裏，向他討餅乾。

他身後傳來梅管家聲音：「噓，噓，走開，走開。」

兩隻小狗奔走。

管家坐在他身邊，輕輕說：「等朱因回來，替牠們命名。」

吉森聽出問題來：「朱因去了何處？」

「她到美國東岸幾間大學面試。」

吉森愣住，「什麼時候走的？」

「昨天下午。」

啊，他們把她先送走，免她吵鬧，待她回來，他已經在英國。

他們辦事，滴水不漏。

梅管家看到吉森臉上那心炙銷魂的樣子，不禁在心中說：呵，原來這感情是雙方面的事！

她輕輕勸道：「吉森，也只能這樣做，你說是不是。」

吉森當然聽明白，他低聲答：「我並無非份之想。」

管家並不多講，她拍吉森肩膀兩下，走開。

那天晚上在車廂，少女把身體團在他膝上，沒頭沒腦親吻他，被車房管理看到，通知管家。

管家走到車房，正好看到他把陸月抱出。

管家就知道湯吉森最好還是離開一百號。

至於少女，她會不開心，不過，至多三五七天也就丟在腦後，管家替她找來兩隻小狗聊解寂寞。

吉森第二天見過警務署長，過幾日就舉家前往倫敦。

陸月回來時，咚咚咚咚奔走，上下找人。

兩隻小狗跟在她身後跳躍。

遍尋不獲，她問管家：「人呢，他沒上班？」

管家淡淡反問：「誰？」

「吉森呀。」

管家閒閒答：「湯先生調職，他與家人到英國去了。」

陸月好像被人左右吃了兩記耳光，「什麼？」她震驚。

「他是警務署人員，一年期滿，回去報到，他身份如此，我們留不住他。」

陸月的臉色與聲音都變了，「你們趕走他？」

管家沉下臉，「朱因，大學生了，說話要合理。」

「你們設計叫他走，誰，是祖父？」

「朱因，湯先生一家四口往英國升職定居，你應當為他們高興。」

陸月臉色白如紙張，雙眼裏神采忽然消失，她一言不發，回轉房間，忽然乏力，倒在床上，動也不動。

一連三天，她不吃不眠，就那樣躺着。

嘴唇乾癟，眼窩塌下去，不更衣不沐浴。

陸老先生說：「請朴醫生來。」

「朴先生是腫癌科大夫。」

「他也會打點滴吧，快，朱因就要出事。」

半夜，朱因發起高燒。

朴醫生趕到，管家與他說華語。

他聽了一會，耐心說：「我是韓裔，我不諳漢語，其實，我也不會講韓文，我只懂英語與德語。」

管家連忙同年輕英俊的醫生講英語。

醫生立即到寢室看視那少女。

他訝異，「這是怎麼一回事，耍性子發脾氣，叫家人痛心，太自私啦。」

這話說到管家心坎裏。

陸月閉着眼睛不出聲。

兩頭小狗依偎在房角，嗚嗚作響。

醫生替陸月注射，逼她喝水，「不然，你要吊鹽水針，打在靜脈，十分炙痛。」

又叫管家拿營養奶粉，他親手調製至十分濃稠，用吸管吩咐陸月服用。

女孩心灰地別轉頭，醫生忽然輕輕說：「去年我在蘇丹達福擔任無國界醫生，一到那裏，扔下行李，便跟着同事奔向一輛破舊貨車，那輛貨車每星期到難民營一次，把死屍載走，有時，幼兒尚未斷氣，也丟進車斗，我們連手套及口罩都來不及穿上，便跳進車斗尋找尚有氣息的嬰兒，渾身是汗與淚，盼望救一個是一個，你這算是什麼？」

陸月聽得分明，半晌，把牛奶吸進。

醫生讓她服藥。

他走到室外，管家叫住他：「朴醫生請留步，陸先生問化驗報告出來沒

有？」

朴醫生轉頭，「已經盡快做，下星期可以準備好。」

「謝謝你。」

朴醫生離去。

這時，女傭走近報告：「明官回轉，司機已去飛機場接他。」

管家歎口氣，「把他房間整理妥當。」

「明白。」

過兩日，陸月願意起床，她已渾身霉味，沐浴更衣，她要求見祖父。

秘書告訴他：「陸先生正開會。」

她不管，一手推開門，陸先生一看是她，立刻同兩名律師說：「休會十分鐘。」

他坐在輪椅上看着陸月，那天，他穿着西服，結上領帶，精神不錯。

「朱因，什麼事？」

陸月走近，站在他對面，冷冷地說：「你答應過，讓我嫁我喜歡的人。」

陸儒不由得生氣，「這是你要說的話？」

「你的承諾！」

「你到廿一歲了嗎，你已屆結婚年齡？」

管家接到通報，連忙趕到。

她懇求：「朱因，不要講你會後悔的話。」

陸先生舉手阻止管家拉開少女，他說：「你喜歡湯吉森，你要與他結婚？只是吉森已有妻室，且有兩個極小的孩子，你要搶走他們父親，叫他們也做孤兒，可是這樣？」

陸月倔強地答：「你把我送返釜山孤兒院吧。」

此言一出，梅管家大驚失色，「朱因！」

陸儒臉上變色。

半晌他低聲說：「到了廿一歲，你去找他好了，我不會阻止你，管家，叫律

師回來開會。」

可是他突感不適，伸手鬆掉領帶，靠在椅背。

管家瞪着陸月，「你還不出去！」

陸月只得退下。

兩隻小狗迎上，她一左一右抱在懷裏。

年輕殘酷的她絲毫不覺歉意內疚，他叫她不開心，她也可以傷害他，他以為他為她付出，她卻覺得對他補償已經超倍。

陸明出現擋住她的去路。

她看也不看他，她一向當他透明，她厭憎陸明，因為他自小就喜歡侮辱欺侮她。

這次也不例外，「喲，發脾氣？老祖對你一向言聽計從：『快，快把月亮摘下給朱因我的寶貝』，今天是怎麼了。」

陸月往前走，不去理睬他。

他驀然伸出手，拉住她左臂，小狗突吠，嚇他一跳，他鬆手，管家的聲音傳來：「明官。」

陸明忍不住氣，一把抓住小狗，把牠摔到牆角。

陸月頭也不回走進房間。

她傷透心，伏在床上。

她忘記鎖門。

下午，女僕經過，忽然聽見自陸月房間傳出小狗尖叫，她疑心，大着膽子推開房間，看到房內情景，魂飛魄散，她大聲高叫：「來人，救命！」

只見陸明騎在少女身上，用領帶勒住她脖子，越抽越緊，另一手撕她衣裳，陸月已無掙扎力氣。

女傭撲到陸明身上，「明官，你瘋了，這是你妹妹。」

兩隻狗咬住陸明的褲管拉扯。

陸明這時像狂人一般，大聲喝罵：「勒死你這雜種，你是我妹妹？你甚至不

是華裔，你是韓國釜山一個孤兒，領養的奴婢——」

孔武有力的司機衝上把他拉開按倒地上，管家連忙扶起陸月，「喚朴醫生，快。」一邊解開勒帶。

陸月發紫面孔這才漸漸恢復本色，她喉嚨有明顯血指印與勒痕，她喉嚨已不能出聲。

管家連忙用毯子裹住她，這時，陸先生的輪椅也到了。

他沉聲說：「把陸明送往飛機場，立刻返回英國，即時！」

司機把他揪出。

他一邊罵：「這小婊子代替我長孫位置——」

稍後朴醫生一進門，臉上表情便是「又浪費我時間」。

但這次不同。

少女分明受到強暴襲擊，渾身青紫，指痕處處，臉上都是微絲血管爆裂瘀印。

朴醫生抬頭，「管家，這必須報知警方。」

管家低聲說：「這不可能。」她細聲解釋原委。

她那麼坦率，倒叫朴醫生躊躇。

「這等於縱容對方再犯。」

「他將離開本市。」

傍晚，陸明被押到飛機場。

家裏兩隻金毛尋回犬忽然失蹤，遍尋不獲。

一日之後，在廚房垃圾箱找到，已被勒斃。

這件事實在挑戰陸宅上下的忍耐力，「如此殘暴沒有良知的少年真正罕見。」

陸月卻比往日鎮定，「不要再養寵物，我決定赴美升學。」

她也到外國去讀書。

再回一百號的時候，已是兩年之後，被陸先生召返。他患惡性腫瘤，需要做

大手術，希望她在跟前。

陸月蹲在他面前，聽他吩咐。

陸老的氣色同從前不能比，他輕輕說：「是非成敗轉成空，幾度夕陽紅。」

眾人不敢出聲。

老人問：「陸明呢。」

「沒叫他回來。」

「陸明父母陸偉章夫婦呢。」

「陸先生你沒通知他們。」

陸儒揚揚手，「朱因在此就好。」

他對陸月說：「朱因，別穿沉色衣飾，看着叫人沮喪，煩管家在時裝雜誌找些鮮艷衣裳，天天換新裝。」

「陸先生喜歡什麼顏色？」

「朱因皮子雪白，穿翠綠會好看，還有玫瑰紅，明黃，銀紫，青蓮，金

色……全好看，照她小時候那樣打扮，喜氣洋洋。」

然後，他輕輕問：「有去探望湯吉森否？」

誰知陸月茫然反問：「誰？」

就算是假裝，裝得那樣像，已算是真的，叫老先生滿意，梅管家也十分佩服，呵……長進了。

老人又問：「功課可以轉到本市來做否？」

陸月答：「已經辦妥轉校手續。」

「在學堂裏可有男朋友？」

陸月微笑。

「可有十來個？」

陸月回答：「近百名體育健將。」

老人大笑，「嘩，那麼多。」

「不算多，全校約兩萬個男生。」

這時朴醫生走進，看到陸月，他一怔，少女長高許多，兩年前的小圓臉今日變得下巴尖尖，表情也沉着得多。

他同陸先生說：「手術時間明天早上八時。」

這時女僕與管家低聲說幾句，管家抬頭報告：「明官忽然回來見祖父。」

陸先生想一想，「叫他進來，朱因，你不用怕。」

朱因看到醫生走出，她跟着他。

她在醫生身後講一堆話：「祖父這次手術，聽說風險甚大，如此高齡，他還願意冒險——唉，拜託你醫生。」

朴醫生轉過頭，微笑：「我不諳華語，不過，我有把握手術會得成功。」

陸月怔住。

「我叫朴正恩。」

她立即說：「我是陸月，家人都喚我朱因。」

兩個年輕人握手。

陸月問：「你也是我的醫生吧。」

朴醫生欠欠身，「你情緒大有進步。」

陸月忽然欷歔，「我想穿了，不是說想要的一定可以得到。」

然後她輕輕欠一欠身走開。

那句話，叫年輕醫生有蕩氣迴腸感覺。

第二天一早陸月天還未亮起來，閃爍的城市燈色特別寂寞，陸儒是她所知唯一親人，無論怎樣，她都希望老人能渡過這次難關。

管家給她送來一套橘紅色新衣，陸月一聲不響換上，走到大堂，正好看到陸先生的輪椅由陸明推出。

大家十分沉默。

忽然陸先生說：「替朱因搽些口紅。」

管家連忙取過胭脂替陸月抹上，顏色統共不對，但豐唇看上去照樣嬌艷欲滴，陸儒滿意地握住陸月的手。

朴醫生一早在醫院等他們，輕輕把手術風險複述一遍。

陸先生被推進手術室。

梅管家暫回一百號打點瑣事，曾高兩位律師稍後出現，陸明這時開口：「可要叫我父母前來。」

律師搖頭，「他說不必。」

「我知道他們在什麼地方，我母在安蒂宜群島度第三次蜜月，父在拉斯維加斯耍樂。」

律師只是點點頭。

陸月這時明白到，陸明也是個支離破碎的人。

不過，這也不能原諒他殘暴性格。

只聽得他這樣問律師：「遺囑說些什麼，家父叮囑我問：一百號贈予什麼人。」

洪律師答：「我相信是次手術會成功，陸先生可望康復。」

陸月一聲不響，垂頭默坐。

稍後律師也返回辦公室，管家帶着飲料及食物與他倆匯合。

她說：「兄妹年多沒見面，也不說話。」

陸明雙眼看着別處，輕輕答：「我已戒除所有藥物。」

管家說：「那我們也放心。」

陸月仍然不出聲。

「祖父答應讓我在一百號樓下打理會所及餐廳。」

管家說：「你可請妹妹讀一讀計劃書，她唸會計及精算。」

陸明雙眼並不看着妹妹，「勞駕。」他說。

陸月看着牆上時鐘，手術已進行了兩個小時。

她努力把三文治塞進嘴裏，兩腮鼓鼓地咀嚼，模樣可愛，陸明看在眼裏，又愛又恨，自小她不看他，他只有胡鬧搗蛋吸引她注意：掀她裙子拉她頭髮，把她鍾愛玩偶的頭扭斷，書包丟到街上……效果適得其反，她仍然不看他。

到十多歲時，他明白到，她並非他妹妹。

這時陸明雙眼看向別處。

終於醫生出來，「手術順利。」

但是，腫瘤已蔓延全身，餘生老人要接受嚴格治療，拖一年得一年。

照陸儒說法：「其實沒有太大意思，不過，可給予更多時限完善結束各項生意，陸明與陸月兩人對賺錢毫無興趣。」

這是真的，陸月看過陸明的會所及餐廳的計劃書，即使天天客滿，三年內也不可能有盈利。

但是會址已經開始裝修及宣傳。

都希望陸明得到寄託，好好活下去。

陸月廿一歲生日，家人在一起吃頓飯。

陸先生說：「朱因你要請朋友的話，知會管家安排。」

陸月答：「我沒有朋友。」

梅管家不以為然，「你是陸家孫女，怎會沒有朋友。」

陸先生問：「可有愛人？」

陸月微笑。

「廿一歲了，你愛嫁誰便嫁誰。」

陸月想，人家早已忘記她，音訊全無。

可是，她卻天天想起他的濃眉大眼，鼻尖上雀斑，有力的大手，性感青色鬚根，還有，他的親吻。

她鼻樑發酸。

老先生又問：「明官呢，有對象無？」

陸明自然搖頭。

老先生歎口氣。

該段日子內，陸月為自己身世作出調查。

她並非華人，證實在韓國出生，一歲左右被警察在街上發現：一個人靜靜坐

着，渾身污穢，並沒有哭，抱回孤兒院，養到三歲，才被陸儒領養。

她還記得當時她已會說幾句話，看到陌生人，懂得按指示問候。

陸儒與兒媳一起辦妥手續，把她帶走，回到一百號，交給梅管家撫養，他叫她六月：朱因。

不久，陸儒為着一些因由，把兒子偉章逐出家門，不過，他把孫兒留在身邊，如此環境，最後產生問題少年。

當日管家給她一隻四方首飾盒子，「陸先生送你。」

陸月打開一看，只見一套鑲得十分誇張的寶石首飾，累墜大顆，一如玻璃珠子，她一點也不感興趣。

以後，每年生日都有禮物，陸月就那樣，繼續在一百號生活，協助打理一些賬目。

成年之後，她也想過離開，每次到外國出差：巴黎、杜塞道夫、東京……她也想過不再回返一百號，但是她在全球均無親人，亦無產業，一百號是她的氧

氣，吉森說得對，在塔裏她是公主，一到門口，眾人已迎出：「朱因，回來了。」她曉得說什麼，做什麼，最後，她在一百號找到朋友，像她的助手。

拖這麼些年，陸儒終於要離開陽世，一切恩怨就要一筆勾銷。

她就快自由。

但是，陸月已不曉得如何運用這新得的自由。

這時有人輕輕敲她房門：「陸月你在嗎？我是家申。」

啊，陸月又回到現實的今日。

陸月急急拉開門，抱緊住家申，貼到他皮膚已經夠好，「家申，」她輕輕把唇黏到他耳邊，「家申。」

家申吻她紅腫雙眼，「我都聽說了。」

這時管家也進來，「朱因，醫生叫你到醫院。」

陸月立刻站起。

管家叮囑：「先換衣裳。」

家申說：「我把原稿第三章交給你，如有機會，不妨讀給他聽。」

管家點頭。

她們去了許久，天邊漸漸轉為魚肚白，無論人間發生什麼事，銀白月亮總在天邊，家申輕輕吟：「照無眠，不應有恨，何事偏向別時圓。」

妻子應該在這一兩天接到他單方面提出的離婚申請。

他太知道她反應，小事她都會爆炸：時裝店員對她不夠禮貌，找不到停車位、子女在校成績欠佳……

他若親自向她開口提出分手，她會進廚房搶過尖刀插死他。

或許他是該死。

但世上也的確有離婚這個制度。

唐家申用手揉臉。

死前上天堂，這是洋人一句俗語，形容唐家申這時的心情最貼切。

天亮，家申聽見陸明帶女友回來的嬉笑聲，兩人都像醉酒，走都走不動，仍

爭着說話：「把BB也叫來」，「我不喜三人戲」，「那你別走」，「哎喲，你撕破我衣服，要你賠」……

祖父就要離世，陸明仍然愛鬧，也許，這是他表示哀悼的方式，在裸女懷中醉得不省人事的肯定全是傷心人。

辦公時間一到，唐家申致電洪律師：「協議書送到沒有？」

「昨日上午她已簽收，可是一直沒有回音。」

唐家申不出聲。

「家申，禮貌上頭，你應親口與她說一聲，她是你孩子的生母，分手有分手規矩。」

「她大概在與律師商議。」

「家申，伸頭是一刀，縮頭也是一刀。」

「明白。」

家申也不明他何以如此懦弱。

他提起勇氣回家。

隨女傭來應門的是小女兒，看到爸爸，十分興奮，大聲叫他。

他抱起那穿粉紅色運動衣的幼兒，「你為何總是大呼小叫沒有一絲女孩的矜持。」

小女孩伸手扯他兩腮：「Dada！」

唐家申以為妻子會撲出挖他眼珠，但是她緩緩走近，像沒事人一般，「你回來了，我很掛念你。」

她伸出雙臂，緊緊抱住丈夫。

家申深覺淒涼，這時才忍讓懂事，已經來不及，他要離開她，也決非因為她脾氣急躁。

她抱住他，他已沒有感覺，毫無反應。

他情願她罵他是畜生，發誓她會要他狗命。

但是她希望用懷柔政策。

她甚至沒有問他是否另外有人。

家申掙脫她雙臂，她卻不願放手，剝開家申衣裳。

他掙扎逃脫。

走到街上，鬆一口氣，他不打算再見她。

像第一次離婚，代表律師叫他簽字，他二話不說，簽罷就走。

之後盡可能，把他所欠款項，加利息逐一償還。

稍後他回一百號，問女僕：「陸小姐回來沒有？」

女僕搖頭，「梅管家請你立刻到醫院，司機在等。」

去到醫院，被帶上病房，只見陸月伏在病床，握住老人雙腿，不願離開。

陸先生伸手招唐家申。

家申趨近。

他說：「把朱因帶走。」

家申叫她：「我們先回去。」

陸月動也不動，穿着玫瑰紅窄身套裝的她與病房慘白形成強烈對比。

陸先生乏力說：「到了這種時刻，我希望獨自靜一靜。」

陸月還是不肯動。

老人歎口氣，「朱因，我對不起你，家申，使力。」

家申點點頭，用力把陸月抱起，緊緊擁懷中，走出病房，才把她放下。

他發覺陸月在最傷心的時候最淒美。

他緊緊握住她的手。

「你最想做什麼，我陪你。」

陸月聲音還算平靜，「我們一起回一百號跳樓可好。」

誰知唐家申答：「很好。」

管家聲音傳來，「唐先生，你應該這樣縱容朱因嗎，君子愛人以德，你比她大，應當好好教導她。」

陸月轉過頭，「所以我喜歡家申。」

家申握緊陸月雙手。

管家瞪着陸月，「你就是愛讓你放肆的人。」

家申把陸月小手放到臉旁，她叫他陶醉，一直以來，他特別享受與愛人肌膚相觸，所以他們認定他好色。

管家歎氣，「回家再說。」

她也失去方向。

整個一百號員工都是衛星，這些年來繞着陸儒旋轉，如今不知如何收拾殘局。

「朴醫生說，就在這一兩天。」

剛才家申見到老人的臉皮像一塊破布搭在骷髏上，生命到了這個時限，的確可怖，呵人類可悲的命運。

「他要說的話，已全部知會律師，他沒有牽掛。」

家申一直陪着陸月，他撥開雜物，窩在她的沙發裏。

陸月換上運動服，擠到家申身邊，伸手進他襯衫，小手心打轉，撫摸他胸膛。

他渾身痲癢，可是實在太過舒服，他不想叫停。

他只低聲說：「再摩挲就要着火。」

陸月說：「不是約好跳樓嗎？」

家申很後悔剛才陪她胡鬧，他說：「梅管家會罵。」

「她像不像狄芙妮杜莫里哀著作『雷碧迦』中惡管家？」

家申忍不住笑。

陸月感慨，「你看我們多似遇到災難的小動物，攬作一堆，戰慄閃縮，束手待斃。」

「不必害怕，我雖沒錢，但總有力氣揹你走路。」

陸月把臉伏在他胸膛上，忽然問：「這些汗毛到底用來幹什麼，我以為人類已經進化。」

唐家申實在經不起挑釁，他忽然有所行動，向他心愛的女子示範。

陸月渾身戰慄，「啊——」她低呼。

「明白沒有？」

陸月掙扎，掉落沙發，一額是汗。

家申覺得好笑，伸手拉她。

「家申，你懂得如何取悅女體。」

「我比你年長。」

她凝視他，「你是一個寫作人，長得那麼漂亮幹什麼，我助手說，女人忍不住要跳到你身上，然而，這些卻絲毫不影響你英偉。」

家申用極低聲音說：「我那有你說得那麼好，男人以才為貌，我不夠苦幹。」

「祖父聽過第三章，很是喜歡，請你完成著作，他未必讀得到，但他信任你。」

「第四章故事十分悲哀：那女子不知所終，她也是韓戰中犧牲品，陸先生就是在該次戰事受傷，失去下半身活動能力。」

陸月輕輕歎息，所以他回到釜山，領養韓裔孤兒……

「那女子在戰場裏尋找屍體身上財物：手錶，戒指，項鏈，均可變賣換取糧食，她發覺陸儒尚未氣絕，本可讓他自生自滅，可是，她不忍心，把他拖回茅舍，設法找到醫生……那一章叫『幸運者』，很諷刺可是，失去雙腿還叫幸運，戰爭太過殘酷。」

這時有人在他們身後咳嗽一聲。

梅管家說：「朱因你先試一試衣服，家申，你的黑色西服在這裏。」

朱因出去。

家申試穿黑色外套。

管家忍不住稱讚：「好看的男子穿什麼都好看。」

家申訕訕，「陸明才是俊男。」

「那是不爭的事實。」

家申脫下西服，女傭捧進茶點。

家申在瓷碟上又看到那一口大的玫瑰酥，連忙取過放進嘴裏。

管家問：「家申，陸先生當你自家人，你將來有何計劃？」

家申不由得咧開嘴笑，「我一生毫無計劃，既然出任標準出版社負責人，我想找一系列好書。」

「什麼叫好書？」

「讀者會有公論，編輯不可堅持己見。」

管家點頭，「你與朱因又如何？」

家申答案極之坦率簡單：「在一起就好。」

「朱因感覺相同？」

「我猜想是。」

「據我所知，她並不想結婚。」

「我亦可接受。」

「你為她離婚，不會後悔？」

家申輕輕說：「離婚是為我自己。」

管家又歎口氣，「為什麼熱戀中的總還是陌生人。」

家申答：「這個問題好極了。」

「你倆有什麼話題，談跳樓？」

家申的雙眼充滿笑意，「她時時稱讚我，我也愛慕她。」

管家沒好氣，「唐先生，你已戀愛多次。」

家申不分辯。

「聽說你的子女十分可愛。」

家申自皮夾子內取出他們近照。

管家一看，心中咦一聲，男孩有四五歲，淺咖啡色鬈髮藍眼珠，分明是小西洋人。兩歲女兒有一頭濃髮，可愛如洋娃娃。與他長得非常相像。

管家說：「叫我這種沒有子女的人艷羨。」

這時陸月回來，「噫，你們說些什麼？」

梅管家答：「我在查他意向。」

陸月坐到家申身後，抱住他，頭靠他背脊上，說：「凡是我愛的，家人都要反對。」

管家歎口氣。

那天晚上，陸明與他們一起吃飯，大家都沒有胃口，廚子做了一味檸檬雞湯，各人只喝半碗。

陸明忽然說：「我父母已啟程前來領取遺產，明早可到。」

管家說：「我叫人準備房間。」

「管家，煩你知會祖父。」

「明官，我只是個僱員，陸先生已在彌留狀態，你有事可與曾高兩位律師洽商。」

這時曾律師進來，二話不說，斟杯威士忌，一飲而盡，他說：「陸儒先生已於七時三十分離開這個世界。」

陸月握緊家申的手，陸明看在眼內，露出不忿神色。

管家落下眼淚。

曾律師說：「梅管家，你安排事宜吧，陸先生早已作出指示。」

管家答聲知道。

陸明卻問：「幾時宣讀遺囑？」

曾律師光火，「明官，只有你一人心急。」

他頭也不回的走了。

陸明把火頭轉向唐家申：「你，你是什麼人，為什麼賴着不走？」

陸月答：「他是陸家客人。」

誰知陸明又問：「你又是什麼人？遺囑宣讀，你也掃地出門。」

唐家申一點也不動氣，手臂護着陸月避開陸明。

他倆到公園散步。
陸月輕輕說：「以後不必再穿奇裝異服。」
家申說：「那些顏色美服，我也愛看。」
「你來陸家作客多久？」
「快三個月。」
「後悔嗎？」
家申答：「我來橋生路一百號唯一的命運是要結識你。」
那是一個晴朗的夜空，他們抬頭，看到滿天星斗。
家申說：「那最亮的是金星，有史以來人類密切凝視金星。」
陸月卻看牢他面孔。
他溫柔問：「你看什麼呢？」
「鬚根長出來了，你真好看。」
家申忽然擁抱她，「好看得足夠向你求婚否？」

他吻她鼓鼓嘴唇。

他愛她吻他時的神情：先閉起雙眼陶醉地吻一個，然後把臉稍微移後，迷戀地認清楚是他，接着再吻他，她那天真的熱情叫他融化，他連脊椎都沒有了，他願意在一百號做一個奴隸。

陸月沒有回答他的問題。

這時有老先生牽着狗路過，看到他倆親熱，故意大聲咳嗽一聲。

陸月先笑出聲。

「要回去否？」

「不，這裏夠平靜。」

「陸月，給你寧靜的生活，我還做得到，我在出版社上班，你打理一百號，什麼閒事都不理。」

陸月苦笑，唐家申逃避現實，那叫平靜？不到一個月，他子女找上門來，他前妻，本來是蠻不講理幼稚膚淺的女人，分手後卻高貴榮升為他孩子的生母，一

定會騷擾索償……

必須照顧兩頭家的人怎麼會平靜得起。

她不出聲。

這時她身邊電話響起。

家申說：「這幾天你家必定忙得人仰馬翻，我是外人，不便留宿，我迴避一會，你有事隨時找我。」

「你去哪裏？」

「出版社替我預備了宿舍。」

「女朋友會去探訪你嗎？」

家申不禁好笑，這種時候，陸月還好似吃醋，也太可愛了。

他回答：「我只有你一個女伴。」

回到一百號，管家迎上。

「家申，你去何處？」

「我回宿舍。」

管家說：「這裏需要人手。」

家申微笑。

「我知道你為難，家申，你且休息，但是，一有事，你一定要幫忙。」

「知道。」

家申披上外套，回到宿舍，只見設備齊全，他像做了上門女婿一般舒適。

家申要履行合約，把五章文字都寫出來，於是埋頭整理資料，他心猿意馬，坐着良久，不能伏案書寫。

家申知道十九世紀英詩人考拉列治，一日服食鴉片，靈感突至，疾筆書寫「忽必烈汗」一詩，可惜寫到一半，有人來訪，他應門回轉，靈感已逝，再也無法繼續。

一盞孤燈陪伴他寫作到天明。

家申放下筆，一跤摔到床上，臉朝下，盹着。

睡夢中他忘記家在何處，一個人在公路車站長龍中等車，沒有一輛是他要搭的車，問站長，那人答：「你要往一號渡船碼頭搭三三八號，然後轉一二八號，才能抵達。」

那起碼要個多小時，累極，掙扎上路，車過站，他往回走，如此紛亂，到達彷彿熟悉街道，卻又不知是幾樓幾號。

他索性蹲到路邊，算了，不回去也算了。

正心酸，電話鈴把他驚醒。

管家的聲音：「家申，我們即往三一教堂，你請過來。」

「立刻。」

他沐浴洗刷，換上黑色西服出門。

司機在樓下等他。

「唐先生早。」

家申連忙回答：「早，他們到了沒有？」

「儀式在上午九時，還有時間。」

清晨，腸胃空空，腳步都幾乎虛浮。

「唐先生，這是你的咖啡。」

司機給他一隻小小保暖壺。

家申好不感激。

到達教堂，管家看到他便說：「家申，那帳篷裏準備了早點，人總要吃，大家都在那邊。」

只見好些賓客都在喝咖啡或熱茶。

不見陸月。

陸明陪着一對中年夫婦，那中年太太，極瘦極時髦，全身黑衣，配大顆珍珠項鏈，頭髮化粧一絲不苟。

她的丈夫卻太胖太油，手腳肚皮擠在一套窄西服裏，不，那不是舊衫，是他不願意穿大號，他不承認他比一年或兩年前胖了二十磅。

靈敏的唐家申立即知道他們是什麼人。

那是陸儒的子媳陸偉章夫婦。

父子面孔十分相像，但氣質無一處相同。

家申並且立刻知道陸偉章的生母並不是陸儒所愛的女子之一。

家申取過一塊小小煎蛋做早餐。

他看到陸偉章要一杯牛奶，自口袋取出扁銀壺，斟酒入牛奶，酒色透明，想必是伏特加，他是酒鬼。

半晌陸明出來，他那套黑西服發出絲緞光亮，無論在什麼時候，他都炫耀如孔雀。

他們今日聚在一起，非為紀念儀式，乃為爭奪遺產。

西裝筆挺的律師們也來了，與陸家後人寒暄。

高律師走近，「唐先生，工作進度順利否？」

家申點點頭，「我已把出版計劃交給他們。」

「你是行尊，必有分寸。」

家中略覺靦覥。

高律師這時說：「沒有這幾杯咖啡，簡直活不下去。」

家中苦笑，少年時的他們怎能想像活着會這麼艱辛。

他目光尋找陸月。

高律師輕輕說：「我們進去吧，朱因在裏頭。」

禮拜堂裏擺着一幀陸儒年輕時黑白照，家中看到一怔，嘴角含笑的相中人幾乎同他有七分相像。

他靜靜在中間坐下。

他看到陸明與陸月一左一右坐在前端，那兩兄妹雖然一點血緣也無，卻長得出奇相像，尤其是那陰森森的濃眉長睫以及雪白皮膚。

他們二人不瞅不睬。

儀式不算冗長，但是陸偉章已經盹着，他的頭顱有時會向前衝一衝，他的健

康情形欠佳。

家申心想，他因何種因由被逐出家門？

陸先生並不想見他，他自動現身，司馬昭之心，路人皆知。

管家輕輕坐到家申身邊。

家申見她真正哀傷，鬢邊白髮盡現，不禁挽着她手臂。

「家申」，她哽咽，「陸先生一直說你與他長得像。」

家申點點頭。

「我在陸家工作總算告一段落。」

家申一怔，低聲說：「陸月需要你。」

「不，陸月不需要任何人。」

家申心裏打一個突。

「儀式後在一百號餐廳有茶點招待。」

她站起與一個賓客說話。

這時儀式已經完畢，眾人起立預備散會。

家申見陸月轉過頭，他以為她找他，但是她的目光卻不是落在家申身上，她另外看着一個人。

那人正與梅管家說話，他這時也看到了陸月。

陸月向他走近，但是在十多呎之遙停下。

戴着小小黑色網紗頭箍的她眼光眷戀，隱含淚光，家申極之敏感，他立刻知道她不是為逝去的祖父哀傷，這男子是誰？

陸月已經看不到唐家申，只見她又踏前兩步。

那男子輕聲說：「朱因，你長高許多。」

陸月哽咽：「吉森。」

管家經過家申身邊，他忍不住問：「管家，那位先生是什麼人？」

梅管家歎口氣，「那是陸先生從前的隨扈湯吉森，他指定請他來。」

唐家申覺得只能以英偉兩字形容湯君。

他與陸月之間隔着好幾呎距離，但是空間裏的纏綿，旁人都可以感覺到。

陸月從來沒有提過這個人，可是，陸月沒有向家申說過任何事，一切只憑他觀察。

家申再抬頭，已經失去兩人蹤影。

陸月與湯吉森走到禮拜堂後園。

「吉森，到一百號喝杯解穢酒。」

「我還要回警務署。」

「梅媽說，你升副署長了。」

「托賴。」

「湯太太與孩子們好嗎？」

吉森垂下濃眉，「她早五年帶着孩子離開了我，我的婚姻沒成功。」

陸月霍然抬起頭。

吉森無奈，低聲說：「她知道我的心早已離去。」

陸月失聲：「你為什麼不與我聯絡？」

湯吉森比她更意外，「公主，我以為你一早把我丟在腦後。」

「我，忘記你？我足足哭了一年，每天我都想起你，一百遍。」

吉森站着不動，半晌，他才說：「公主，我已是老頭子。」

陸月撥開額前黑紗，忽然微笑，「是老了一點，當年我十七歲，今日我廿五歲。」

吉森說不出話，他忽然鼻酸。

她膩嗒嗒叫他：「吉森。」

陸月終於靠近他，老實不客氣，把臉貼到他唇邊，像當中那八年沒過，她仍然只得十多歲。

「朱因。」他哽咽。

「你拋棄我，你離我而去，你貪圖功名，你虛榮。」

「都是我的錯。」

陸月忽然問：「你的胸膛是否仍然毛毛？」
吉森忍不住笑，「朱因，你什麼都記得。」
「我不會再放你走。」
「我得回辦公室。」
「你回到本市，亦無與我聯絡，我永不原諒。」
他用大手捧起她的小臉，「朱因——」
她用鼻尖碰到他鼻尖上。
他無言。
「我跟你回家，吉森，與我結婚。」
她要完成她得不到的願望。
「你仍是那淘氣小公主。」
「只有在你面前，才可以如此放肆，因你什麼都知道，我不用保留。」
他們上車，他用電話通知同事下午有事。

吉森把車駛往市郊。

陸月一直凝視他，吉森樣子較以前憔悴，可見這幾年日子不好過，可是男人與女人不同，那些許滄桑叫他看上去更加穩重成熟，他已脫離好看男孩的局限。

陸月最喜歡他那雙大手，張開可以覆蓋她整張臉，跟這人到天涯海角，他都有能力保護她。

吉森發覺她還是喜歡凝視他。

從前，以為她躲在塔裏，少見外人，故此對他特別感到興趣，今日他明白到，她或許真心喜歡他。

他歎口氣，「朱因，是你天真熱情的心靈，把我看得太高太好，我是普通警務人員。」

陸月笑笑：「每一個警局服務人員都是市民的英雄。」

吉森說下去：「你對我認識不多：我喜歡啤酒，我也玩撲克，我貪睡，有許多男人獨有的邋遢習慣，像週末我不再刮鬍髭。」

陸月微笑不語。

她喜歡的男人都很奇怪，包括唐家申，都愛醜化自身，人家的男朋友，孔雀開屏還來不及。

他把車停下。

「這是我的家，此刻我一個人住在這裏。」

那是一幢六個單位不設電梯老房子，門前老大一顆影樹，夏季，想必亭亭開滿一樹羅傘似血紅色花，如果住在二樓，觸手可及。

「你住幾樓？」

「二樓。」

「帶我回來幹什麼。」

「朱因，我有話說。」

「啊，光是說話。」

吉森握着她的手一起走到二樓，打開門。

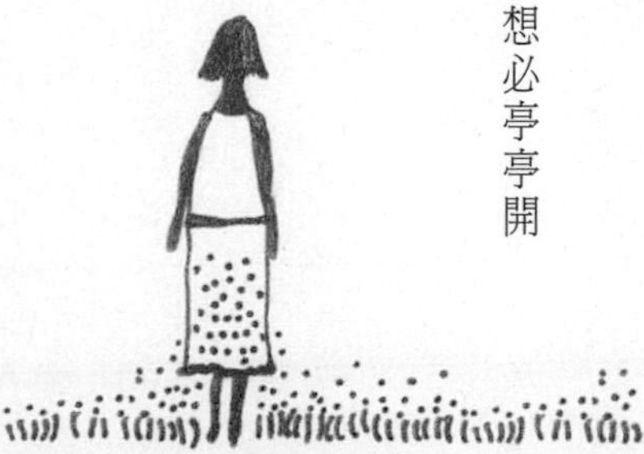

那是很普通的住宅單位，在本市，算是中上階級，地方明亮空敞，空氣夠新鮮，幾件簡單傢具，收拾得相當潔淨。

他拉她進廚房，打開一隻小冰箱，裏邊滿滿放着近百支罐裝啤酒。

陸月忍不住微笑。

他指一指，「這是普羅裝南斯拉夫紅酒。」

那是隻一公升裝錫紙盒，附一枚小小水龍頭，扭開，紅酒自該處流出。

他取過一隻紙杯盛滿，「喝一點，味道不錯。」

陸月靜靜看着他，他想說什麼？

吉森說：「這便是我，一天工作十六小時，三餐都在外頭吃，周末如果沒有突發事件，便與子女相聚，看他們功課，陪他們運動，薪水大部份付贍養費，有需要的話，約會女性。」

陸月跳到他身上，腿繞着他的腰，輕輕說：「知道。」

「你沒聽清楚，公主，你一直說要與我結婚，你可有想到，過的將是這樣的

日子。」

陸月不明白，「為什麼，一百號有的是地方。」

「不，朱因，如果你要嫁我，除了人，什麼也不能跟過來。」

陸月摟着他脖子的手臂鬆下，她不明白。

「朱因，你得放棄陸家一切。」

「為什麼？」

「因為我不接受你把陸家一併帶來，你是我的妻子，就得在我能力範圍內生活：沒有私人飛機，沒有廚子保母司機，沒有首飾華服。」

陸月不明白，「因為你是大男人？」

「這是我的原則，這件事並無商榷餘地。」

陸月問：「愛裏也有原則？」

「如無堅持，愛消逝得更快。」

陸月忽然發覺記憶中的湯吉森與今日的他有點出入。

「我不會妨礙你工作。」

「你還是不明白，朱因。」他把她擁在胸前，「我等你長大，就是想你知道，我是一個普通人，我的妻子要為我打理三餐收拾家居整理衣物，甚至協助教導我的子女，那不是你的工作，我不會叫駿馬拉柴車，你明白我說的是什麼？」

「吉森，夫婦也是不同個體。」

「公主，你不是想結婚，你要的，只是浪漫約會。」

「吉森，你不公平。」

「朱因，我不想欺瞞你。」

陸月淚盈於睫，「我那樣愛你，吉森。」

「即使如此，我也不會要你洗刷廚房。」

「吉森，有傭工可以代勞。」

「你習慣有整隊兵服務，那不是我的妻子，那是陸小姐，陸小姐已經成年，她可以隨時約會我，我一定即時赴會，你說如何？」

陸月悲愴，她伏在吉森胸膛，「我要你每晚陪我。」

「那也不難。」

「不准見其他女子。」

吉森微笑，「直至你厭倦。」

「但是，我想與你結婚。」

「朱因，你還未準備好。」

「吉森，像你那樣理智做人，有什麼滋味？」

「朱因，我是佩槍工作的警務人員。」

陸月走進廚房，再斟一杯廉價紅酒，吉森說得對，味道不錯，帶杜桑子香味，可以當水喝。

吉森把她頭髮握在手裏，輕輕往後拉，叫她仰起臉，「還要我嗎？」

陸月賭氣，「不要了。」

吉森微笑，「那就不該上門來。」

「吉森，閉嘴。」

他輕輕在她耳邊說：「我想這樣做已經不知多久，我不知還做不做得來。」

他聲音越來越低。

那邊，在一百號，梅管家急着問手下：「找到朱因沒有？」

「電話關掉，不知去向。」

「最後是什麼人看到她？」

司機走近，低聲說：「我看到朱因與湯吉森一起上車駛走。」

梅管家歎口氣，「給我一杯濃咖啡。」

高律師過來，「明早宣讀遺囑，適宜否？」

「找不到朱因。」

「推遲一天也不要緊，她是否與唐家申一起？」

管家不回答。

高律師明白了，「朱因將成為城裏富女之一，又年輕貌美……做她男伴，確

有壓力。」

這時唐家申又在何處？他接到出版社電話，趕去開會。

老闆跟他說：「家申，大家想與你訂一訂半年計劃。」

家申比平時沉默，穿着黑西服，氣質沉鬱。

他坐下，問要咖啡。

助編低聲問：「你有心事？」

老闆咳嗽一聲，「這是各位同事心目中想邀請加入標準的作者群。」

每人交上一張寫着表示寫作人名字的單子。

家申定定神，他一事無成，潦倒半生，再不抓緊這次機會，恐怕一世也就完了。

說什麼都先把工作做出來。

他把逐個寫作人與同事討論可能性。

老闆說：「家申是個人才，他對本行瞭如指掌，知彼知己，百戰百勝，譬如

說名記者陳明芳喜宣傳，可替她多辦茶會，偵探小說作者韓玉婷不談酬勞，希望獲獎，也不是難事，懂得每個人的脾氣，容易辦事。」

一位助編說：「家父也做這一行，他說他初入出版界之際，徐訏與徐速都還在，他見過他們。」

家申點點頭。

肚子餓了，大家叫外賣。

這時，忽然有人找唐家申。

一看，是保母手中抱着一個穿水手服的幼兒。

那孩子見到唐家申，立刻掙扎落地，朝他奔過去，大聲叫他：「Dada！」

大家都笑起來，那麼可愛，像替他們灰老蒼白的心注射興奮劑。

小女孩一頭濃髮，面孔像蘋果，家申一把抱在懷裏，大家又聽到她說：

「Dada，I wuv you。」

家申回答：「BB, I wuv you too。」

保母走近說：「她天天吵着要見爸爸，今天太太知道你在這裏，送她上來。」

家申看到保母身後站着妻子。

他才想招呼，她已轉身走開。

保母說：「唐先生，我過些時候來領孩子回去，這袋裏是她奶糊及清水等。」

家申緊緊把洋娃娃似小女兒抱懷裏。

大家都羨慕：「這麼好玩的小女孩」，「又乖，會說會講，懂得表達心意」，「父女一般漂亮」……

尤其是女同事們，被商業社會緊張經濟折磨得不敢生育，此刻心情更是複雜。

只見小小人全身沒有一處不可愛：濃眉大眼，一頭長烏髮，胖胖小臂小手，給她一塊餅乾，她如獲至寶，放進嘴時，連手指也一併伸入，怕到嘴美食落下。

她依偎父親懷中，一聲不響，握着小小奶瓶啜食，唐家申如常開會。

他輕輕提出意見：「標準出版社淨是辦公室月租是十八萬，各位同事記得每本書都要有盈利。」

同事們聽到唐家申說到盈利，都大表意外，睜大眼張開嘴，呵，風流名士都脫胎換骨變得經濟實惠，可見這世界是艱難了。

大家悲涼地打起精神。

這時小女孩已在父親懷中睡熟，但家申仍然抱着不放，這小人兒體內保存着他的因子，她是他的後裔，此刻，他臉上溫柔神色叫人感動。

這個會議，一直延至天黑，大家並不覺累，只感到興奮，工作分配定當，又有方針，照着苦幹便可。

稍後保母上來抱回小唐晶。

保母說：「太太說，小品不願背乘數表，家教無法叫他服帖，他用橡皮及釘書機摔向補習老師，人家已經辭職，太太說他討打。」

家申答：「你叫他約個時間到我辦公室來，我教他。」

「先生，你回家吧，大家都牽掛你。」

此言一出，老閻確定唐家申已離開家庭。

保母與孩子走後，他恃老賣老，問家申：「大作家，你的著作寫完沒有？」

家申把稿件放桌上。

老閻看到厚厚一疊稿件，幾乎感動落淚，「家申，人會變，月會圓。」

家申沒好氣，「賊腔。」

「你身上還有一股奶香。」

家申不出聲。

「你離家出走？」終於入題。

家申說：「我不談論私事。」

「家申，你半生為男女關係付出太多精神時間，多情反被無情鬧，血本無歸，家申，回頭是岸。」

家申不發一言。

「你戀愛了？」

半晌他似是而非地說：「一個人只能活一次，也只能向前。」

「剛才我看到唐太太，她似乎瘦了。」

「是你知會她我在這裏吧？」

老闆忽然問：「家申，我們在一起多久了？」

唐家申沒好氣，「不計熱戀，連同居時間，已有十多年。」

他離開出版社。

街上暮色蒼茫，一剎那家申不知該往何處。

他手提電話響起，梅管家找他：「家申，明朝九時正請到陸先生書房，高律師宣讀遺囑。」

家申聽見自己酸澀地問：「找到陸月了嗎？」

管家不便發表意見。

「那是陸家的事，外人不便在場。」
「陸先生希望你出現，家申，你的員工合約直至下月初仍然生效。」
家申無奈回答：「知道。」
他回到宿舍，等陸月向他作出解釋。
陸月不是不記得他。
這時她擠在吉森身邊，在小餐廳裏喝薑啤和冰淇淋及吃甜圈餅。
她滿嘴糖粉，吃得放肆。
吉森低頭憐愛地看她。
他問：「在教堂裏，那戀戀不捨凝望你的男子是誰？」
陸月邊吃邊喝，雙腮鼓鼓，「男人一向都看我。」
這是事實，並非誇耀。
「那個漂亮斯文的男子。」
「你指家申？」

「他是什麼人？」

陸月回答：「我的男朋友。」

吉森一怔，「可是，你與我在一起。」

「你不同，世上我最愛你。」

吉森啼笑皆非，「朱因，這不對，你對他不忠。」

陸月放下杯子，「我想是。」

「他會傷心，朱因。」

朱因忽然笑，「吉森，他沒有心，即使有，也似一團橡膠，自地球擲向月球，也可以安然着陸，絲毫無損。」

「朱因，」吉森吃驚，「你這樣了解他，卻還同他在一起。」

「我十分喜歡他，他懂得討女子歡心。」

「朱因，你變許多，我不再認得你。」

「吉森，他知道什麼叫不忠，他有妻兒，他對她們也不忠，他妻子訛言懷着

他的孩子，但藍眼棕髮，她也不忠，我們都是黃鼠狼。」

吉森沉默一會，他說：「你講得對，感情上我一早已背叛婚姻，我更加不忠。」

「幾時？」

「多年之前萬聖節，你到員工室討糖，穿着芭蕾舞衣那天。」

「我不記得。」

「嘿。」

這時他的手提電話響起，他回說：「馬上到。」

陸月忙不迭說：「吉森，我明天要見你。」

吉森用大手撫摸她的臉，「如果他還沒有殺死你。」

陸月笑，「他才不會。」

兩人離開小餐廳。

分手前陸月問：「你呢，你為什麼不阻止我再見他？」

吉森回答：「我沒有資格約束你。」

「我恨你湯吉森。」

回到一百號，梅管家拉着陸月，「朱因，快休息，明早有事。」

這時陸偉章夫婦忽然出現，冷冷看着陸月，在這之前，他們一直當陸月透明。

陸太太冷冷說：「長這麼大了，一臉妖媚。」

梅管家就是這點好，她毫不避忌，站到陸月身邊，保護她自小管教的孤女。

陸太太繼續說下去：「這裏站着的是長子，那邊在房裏的是嫡孫，小狐狸末日到了。」

陸月這時睜大雙眼，發出晶光，但終於忍耐着不發一言，走回房間。

稍後梅管家提着一隻小號旅行篋到她房間。

「這是什麼？」

「朱因，這是陸先生私人送你的十多套珠寶首飾，你收好。」

陸月回答：「我不稀罕，轉送你吧。」
「朱因，你真正想得到的是什麼？」
「愛人，被愛。」
「唉，沒有人愛你多過陸先生。」
陸月沉默。
「吉森與家申，你愛誰多一點？」
陸月答：「吉森說，他不會進入我的世界，叫我赤條條放棄一切他才會同我結婚。」
梅管家生氣，「湯吉森是一條牛。」
「至於家申，我從未想過要與他結婚。」
管家欷歔，「家申對你，只可以說，他犧牲不少。」
「家申的稿件完工沒有？」
「完工了，文筆細膩，叫我落淚。」

「家申就是有這個本事，其實他沒有技巧……文筆絲毫不見誇張，用字亦無新異之處，但是文字卻深深動人。」

「他寫到病人失去肌肉控制本能，雙手侵襲看護胸部，叫她一拳打腫鼻子，真是笑中有淚。」

陸月笑，「我想他是故意。」

「朱因，你猜遺囑怎麼說？」

「我不關心。」

「希望陸先生給你充份照顧，至於那些男人，朱因，If they do it with you, they will do it to you。」

說到這裏，陸月打個小小呵欠。

管家知趣離開。

陸月累極，她合上雙眼。

忽然聽見有人叫她，聲音好不熟悉：「朱因，朱因。」

她睜開眼睛朝門角看去，一個高大男人緩緩朝她走近，懂得說話的雙目，會笑的嘴角，不，不是唐家申，她衝口而出：「你會走路了」，她看到的是陸儒，他是那麼年輕光潔，像從未受創。

她要伸手去拉他，這時卻被人推醒。

「陸月，起來，時間到了。」

管家把替換衣裳放床沿，女傭取進早餐。

多年陸月均被小心體貼服侍，若不是吉森點破，她還不自覺。

她沐浴更衣，女傭替她梳頭，挑開烏髮，三七分出一條雪白頭路，非常別致，她替陸月別上鑽花。

陸月有點憔悴，她吸進一口氣，扣上外套紐扣，才大口喝黑咖啡。

稍後女傭給她清水嗽口。

她問：「家申來了嗎？」

「唐先生在他書房。」

陸月去找家申。

推開門，看到他在收拾衣物。

「家申，你在幹什麼，你往何處去？」

家申抬頭，看到陸月，她不施脂粉的皮膚像淡紅色珊瑚，煞是好看，她將永遠是他的心上人，但她用利刃傷他。

當下他輕歎一聲，「我昨日找你三十次。」

陸月說：「我與朋友有話說。」

家申不出聲。

「對不起——」

家申忽然說：「在路上你不小心碰到別人，你說聲對不起，此刻你傷盡我心，請別說對不起。」

陸月這樣回應，「你受傷的心？這麼些年來，對着你的前妻，你的情人，你的女友，原來你一直懷着一顆受傷的心做人。」

家申震驚地看着她，「現在，你開始侮辱我，失蹤一日一夜回來，你還要凌辱我。」

陸月握緊拳頭，「唐家申，我不屬於你。」

「這下子我明白了，你不愛我，你只想——我。」

有一段短暫時間，他自欺欺人，竟相信她會愛他。

這時陸月抱頭尖叫。

梅管家跑進，「朱因，這不是相吵罵的時候，律師都在書房等。」

家申提着行李離去。

管家急問：「家申，你去何處？」

家申低聲說：「代我向陸先生說聲對不起，我的工作已經完成，我告辭了。」

他頭也不回的走向電梯。

管家想叫住他，可是她有更重要任務，只得先陪陸月進書房。

陸偉章夫婦坐前排，陸明陪在身邊。

陸月坐到後角，她一進書房，陸明便轉頭看牢她。

陸月坐好不久，朴醫生輕輕走近，他遲疑一下，走到陸月旁邊。

他垂頭，看到她烏髮黑白分明的頭路。

朴醫生不記得上一次看到女子分頭路是幾時，也許是他的姐妹梳兩角辮子的時候，此刻，女子流行頭髮蓬鬆，往往添加一把把假髮，希望造成虛偽的性感。

他正胡思亂想，陸月向他點頭。

他看到她雙目通紅，心中惻然。

高律師坐在陸先生的書桌，攤開文件。

他輕輕說：「陸先生自覺他的產業並沒有外界想像中多，他用三年時間，把生意轉讓，所得本利，全部贈予朴正恩醫生在三一醫院主持的腫瘤研究所。」

話才說完，陸明已經驚呼一聲。

陸太太尖聲問：「橋生路一百號呢？」

「橋生路一百號整幢大廈，陸先生留給陸月小姐。」

書房靜寂片刻。

然後，陸偉章跳起來，「我得到什麼，陸明得到什麼？」

高律師平靜地答：「你倆的名字，不在這份簡單的遺囑上。」

陸偉章大叫：「老祖神志昏迷，怎可能不留一分一毫給子孫，他受人唆擺，遭人狐惑，這不是他本意，我要提出訴訟！」

高律師說：「我可以向各位保證，這是一份密不透風的遺囑，任何人不滿，將喪失目前的生活津貼。」

陸太太尖聲問：「我們以後怎樣？」

高律師諷刺：「或者陸太，會考慮找一份工作？」

「一百號的餐廳與會所由陸明經營，難道他完全無份？」

高律師答：「如有營利，相信陸月小姐會按比例支付給我。」

這時陸偉章站起，雙手奮力舉起椅子，朝陸月擲去，「打死你這隻妖精！」

說時遲那時快，只見朴醫生迅速反應，如大鵬展翅般張開雙臂，一邊護住陸月，一邊啪一聲捉住椅背放下，他拉着陸月退出書房。

身後聽見高律師大聲說：「不准動手，我會隨時報警！」

朴醫生見走廊有一扇門，推開與陸月進去躲避。

房裏漆黑一片，「這是什麼地方？」他低聲問。

呵同一間密室，物是人非。

陸月開亮燈光，朴醫生發現是一間小小儲物室。

他輕輕對陸月說：「你要小心。」

陸月不發一言。

外邊有人叫朴醫生，他拉着陸月開門出去。

管家說：「朴醫生，律師找你談捐款細節。」

陸月已轉身回房。

她脫去外套，放在椅背，一轉身，看到陸明坐在她的沙發上。

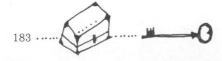

她厭惡地說：「滾出去。」

陸明凝視她。

「滾！」

陸明冷冷說：「老翁、保鏢、寫作人、醫生，都得到你歡心，你不介意與他們親熱，你喜歡他們，為什麼不是我，我有什麼地方不及那些男人？」

他站起走近一步。

陸月退後。

「但你引誘我，自十五歲起，每天傍晚，你在淡水池似水妖般裸泳，你知道那是我練習的時間，你毫無顧忌，你剝奪我自尊。」

陸月知道要趕快逃走，她轉身要跑，已經來不及，她只覺腦後咚一聲，跌倒在地。

她張口要呼叫，脖子已被勒住。

她聽到陸明咬牙切齒地吼叫：「你的出現害苦我一生，你奪我所有，我要掐

死你！」

陸月眼前發黑，最後看到的是陸明臂上紋身：永遠六月。她掙扎不動，終於失去知覺。

是洪律師先看到陸明一身鮮血自房裏奔出，開頭他還以為他臉上是紅酒，看真後他嚇得發呆。

陸明趁這個機會跑向電梯。

洪律師大聲呼喊，眾人走近。

管家第一個推開陸月房門。

她看到陸月渾身血污倒在地上，頸上還纏着束緊皮帶，她已奄奄一息。

朴醫生連忙排眾蹲下解開皮帶，並且即時報警，這次，沒有人阻止。

朴醫生替陸月施人工呼吸。

他看到她渾身血污，輕輕掀開上衣，看到她胸上有好幾個齒印，深的還在滲血。

他憤怒得腦上青筋盡現。

陸月尚未甦醒，救護人員與警員已經趕到。

兩個律師頓足，向警員陳述案發過程。

陸明成為通緝犯。

朴醫生一直陪在陸月身邊。

他請到矯容醫生縫合陸月後腦及胸前傷口。

管家在病房守候，看着各科專家進出。

朴醫生告訴她：「醫生最擔心她喉部軟骨。」

「她可有——」

朴醫生答：「沒有，兇手無能。」

管家不出聲。

朴醫生忿怒地說：「陸月是他妹妹，他一而再，再而三侵犯她，他是畜牲。」

傍晚陸月甦醒。

湯吉森趕到，他敞開上衣，雙手叉在腰上，露揚佩槍及警章，他從來未曾如此憤怒。

吉森低頭聆聽梅管家細述詳情。

「——明官想必服用興奮劑……」

這時警員向他報告：「該名疑兇已登上往——飛機，同行還有一對夫婦。」

「按照程序通緝。」

「是，長官。」

陸月張開空洞無神雙眼，呆視天花板，朴醫生輕輕掀開她袍子，探視傷口，只見雪白酥胸又青又紫，縫線如兩隻蟑螂爬在乳上。

陸月覺痛，輕輕呻吟。

管家探近，陸月沙啞聲音說：「我為什麼還不死，我一早好死在孤兒院。」

管家心酸不語，歎息一聲。

湯吉森蹲下喚她：「公主。」

陸月看到他，忽然落淚。

梅管家忍不住低聲說：「誰會想像她的日子如此難捱。」

吉森轉身，「我明早再來看她。」

他匆匆隨手下離去。

管家問陸月：「需要知會家申嗎？」

誰知陸月搖搖頭，「我只想休息。」

「你熬到今日不容易，朱因，你要振作，陸先生把產業全留給你，你要妥善運用。」

陸月側過頭，喃喃說：「是陸先生要看我游泳，我不是要引誘任何人。」

管家的聲音越來越低：「你已履行合約，你已恢復自由身。」

陸月喉嚨嘶啞，「其實一早可以走，但是他已垂危。」

終於她閉上雙眼。

朴醫生不諳漢語，大約猜到她們在懷念陸先生，心中惻然。

心肺專科醫生上來檢查，看到朴正恩，意外說：「朴，你還不回去休息？明日你有兩個手術。」

他這才離開病房。

管家一直守着陸月。

半夜陸月痛楚呻吟。

一早，吉森又來，坐在床角，心痛地看着陸月。

陸月醒來，他說：「公主，我倆結婚吧。」

陸月忽然微笑，笑靨宛如烏雲後一絲金光，她說：「Too little, too late，我不需要憐憫。」

「朱因，你知我深愛你。」

「待我出院再說。」

「你的男友唐先生呢，我看不見他。」

「我們已經鬧翻，完了。」
「為着我？」
「我也希望是那樣，但不，因為他愛得不夠。」
「你不能希祈一個男人那樣寬宏大量。」
「為什麼不，他的——何嘗不周遊列國。」
吉森駭笑，「朱因，你言語鄙俗。」
「我自由了，不受束縛。」
半晌吉森輕輕說：「男女有別。」
「他是老人，你比他更老，你們都是自私老男人。」
吉森笑着吻她手背。
第二天朴醫生親自幫她拆線。
他輕輕說：「賴醫生在矯形科最優秀，針步細結。」
陸月問：「我可有禿頂？」

「沒有，癒合得很好。」

他檢查她胸前，陸月轉側頭。

他戴着膠手套的手忽然微微顫抖。

「不會留下疤痕。」

「謝謝你朴醫生。」

朴醫生沒有即時離開病房。

陸月以為他還有更壞的消息，不禁擔心。

但是朴醫生躊躇片刻，終於說：「過幾天你可以出院。」

陸月放下心頭大石。

梅管家來接她回家，一邊微笑說：「連朴醫生都長得那樣漂亮，一定是你們營養足夠與運動充份，與我們那代黃瘦乾不一樣，彼時也不作興高大，叫女生男相，喜歡小嘴尖臉，今日，方臉豐唇才叫好看。」

管家心情輕鬆得多。

她又問：「吉森可是回心轉意？」

陸月卻問：「可有家中消息？」

「都說唐大作家脫胎換骨，再世為人，他朝十晚十努力工作，幾乎睡在出版社，誠懇四出約稿，又為標準出版社印製讀書週刊，親自介紹本市新書，免費派發，受到歡迎及讚賞，報刊讀書版紛紛轉載。」

陸月不出聲。

「你鼓勵了他。」

「怎麼會，是他忽然覺悟工作重要，他與妻子和好否？」

「他堅持分手。」

陸月輕輕說：「可見兩個人一起生活真不容易。」

管家說：「婚姻需容忍遷就，日子久了，這裏削去一點，那裏又刨圓一些，漸漸失去自我，那是多麼痛苦的一件事。」

陸月又說：「分手最常用的理由是『不可冰釋誤會』，那又是什麼？」

管家很有趣，她回答：「那即是我不再愛你。」

陸月笑，「那是梅媽你獨身的理由嗎。」

稍後管家說：「你如果有精神，書房桌上有些文件等你簽署。」

「知道。」

管家把陸月搬到頂樓舊時陸先生的住所，地方已完全重新裝修，把陸月的破舊傢具與新置沙發枱椅混合得天衣無縫。

陸月輕輕說：「橋生路一百號。」唉。

管家好似這才想起，「啊，還有一件事，明官躲在——，該處與本市無引渡法例，高律師已撤銷控訴，可是湯署長堅持該案由警方提出控訴。」

陸月問管家：「你怎麼看？」

「也該讓明官淌汗了，等你把諸事辦妥才作決定。」

「警方控訴他什麼？」

「企圖謀殺。」

陸月不出聲。

她的頭頂還隱隱作痛，牽一髮動全身，連帶太陽穴、眼睛、耳膜都受到影響。

管家斟杯熱茶給她。

陸月看到點心碟子上有小小玫瑰酥，忽然說：「家中最喜歡這個，給他送一點去。」

管家笑笑，不出聲。

陸月歎氣，「真奇怪，無時不刻，朝思暮想，心上都有這個人。」

「誰？」

陸月笑答：「一三五唐家申，二四六湯吉森。」

管家氣結，「你還有禮拜天這空檔呢。」

陸月咧齒而笑。

「朱因！」

正在閱讀文件，女傭進來說：「有人找陸月小姐。」

管家意外，「朱因今日沒約人，誰？」

「她沒有預約，她說她是唐家申太太，她還帶着一個小小孩。」

陸月與管家靜下來。

女傭問：「可要我去推掉她？」

管家答：「不用，我去見她，她在什麼地方？」

「我讓她在藍色會客室喝茶。」

「朱因，你繼續處理文件。」

陸月看着管家，「你會怎麼說？」

管家取過陸月外套穿上，「我就是陸月小姐。」

陸月想笑但笑不出。

管家出去。

陸月想一想，悄悄跟下樓。

梅管家走進會客室，看到一個打扮艷麗的女子在踱步。

她客套地問：「唐太太你有事？」

客人見她笑容可掬，倒是一怔，她沒想到陸月是個中年女子，一時不知如何開口，忽然洩氣。

這時管家看到唐太太身邊有個小小女孩，頭髮又濃又長，也沒梳好，披在肩上，這女孩有一雙與她圓面孔不合比例的精靈大眼，她正全神貫注看着管家。

管家見她如此可愛，不禁逗她說話：「你好，你什麼歲數，會講話嗎？」

那小小孩躲到母親身後。

唐太太張琳的意圖十分明顯：她登門問罪。

她問：「你是陸小姐？」

梅管家是應付人事老手，她重複問：「唐太太有什麼事？」

唐太太也很坦率：「我在唐家申電話月結單看到他不住找陸月通話，有時一天達三十次，我是他妻子，我起疑心，故此來看個究竟。」

「啊，」梅管家解釋，「唐先生是標準出版社負責人，而標準是陸氏企業一間子公司，唐家申與我們通話是正常的事。」

張女士吁出長長一口氣，「那他要與我分開，是為着什麼呢？」她忽然飲泣。

這時小女孩悄悄走離會客室，她胖胖小腿蹓躂到鄰房，抬頭看到陸月。

兩人對望片刻。

陸月震盪：這麼像唐家申！

簡直一個模子印出：秀麗唇形，不笑也像微笑，立體濃眉，會說話的大眼：真是小小唐家申。

而且，看情形，她與父親一樣，心思極之縝密。

陸月凝視她，動也不敢動。

小孩走近，問陸月：「糖？」

陸月忽然笑，她打開瓷罐，取出水果軟糖，自己先吃一顆，剝一顆給小孩。

小孩嗒嗒吃光，又問：「還有？」

陸月把其餘糖果倒進她口袋，她呵呵笑開顏。

她很禮貌說：「謝。」

這時有人叫她：「小晶，小晶，我們要走了。」

她朝陸月擺擺手，轉頭朝叫聲奔去，小小漂亮漆皮小靴子發出響聲。

陸月忽然想到自己兩歲多時還在孤兒院，不禁悲從中來，鼻子發酸。

她只知道，把家申搶走，那小小孩兒也會成為孤兒，陸月內心更加震盪。

半晌，管家找到陸月，把外套還她，「人靠衣裝，一件香奈兒外套叫我成功扮演陸小姐。」

陸月神情落寞。

「你見到她們母女？」

陸月點點頭。

「那是個人見人愛的小孩，模樣像洋娃娃，神情似大人，像你小時候，朱

因。」

「我哪有那麼好看，我眼睛欠大。」

「唐太太比我想像中稍遜：化妝太濃，欠缺涵養，多年前也曾經漂亮過，今日已經過時。」

「是心態過時吧。」

「當然不是妝扮，她已穿着明春新裝。」

「但凡不夠豁達，看不開放不下，均屬過時，可是這樣？我也落伍，我戀戀陸先生還在一百號當家作主的時光。」

管家歎口氣，「人生最可怕的事之一，是當你知道，你要為自己作主。」

陸月黯然靠在管家肩膀上。

「你喜歡吉森與家申，都因為你希望有那樣的父親吧。」

「什麼？」

「吉森可以保護你，家申長得像陸先生，都是你心目中父親的模樣。」

「梅媽似佛洛伊德門徒。」

秘書敲門：「律師到了。」

洪高兩位走進，看到陸月，上下打量新承繼人。

「朱因精神好得多。」

「今日說一說有關一百號的事。」

管家輕輕離開書房。

陸月簡約的說：「我對物業毫無興趣，出售吧。」

高律師笑，「你儘管做你喜歡的事，像精算下世紀抹香鯨數字或北極融化情況，物業交給我們委託可靠銀行地產部代理。」

洪律師則說，「最近市道欠佳，但即使在地產至蓬勃之際，長遠來說，如此貴重物業，還是適宜長抓在手，朱因，我們建議裝修出租，一共二十八個單位，留二樓作辦公室。」

陸月問：「我呢，我住何處？」

「朱因，你仍住頂樓。」

「泳池呢，可要填平？」

高律師跳起，「這將是市區唯一設有臭氧消毒泳池的住宅大廈，是最佳號召力，當然保留。」

「餐館呢，會所呢。」

「全部屬住客特別設施，九折優待。」

陸月不禁說：「你們確具商業頭腦。」

高律師忽然問：「明官可有消息？」

「我已忘記這個人。」

「陸偉章夫婦已回英國，表示永不放棄訴訟權利。」

「那麼，照你們所說的辦吧。」

洪律師忽然笑笑說：「朱因，我知我已太老太醜，已經錯過時機，可是我有一個廿六歲獨子，劍橋法律畢業，一表人才，可以介紹給你。」

陸月駭笑，「我怎麼配得上。」

高律師也說：「我家三個男孩全長得不錯，我帶他們上來介紹。」

「你那三個年紀不對，全部廿一歲底下。」

爭個不已。

這時管家進來，「兩位請用茶點。」

陸月的助手也有話說：「朱因，我們都想念你，辦公室雖然大幅縮小，我們幾個卻可留任改做地產租務。」

陸月握住她手，「宛如隔世。」

「高律師說，現在你是我們阿頭。」

「不不，我打算旅遊一年半載，我無意管理。」

「與誰一起，是否唐家申？」

陸月卻問：「最近看什麼書？」

「陸先生自傳樣版印出，全部用再造紙，逐本照古時線裝手釘，

文雅內斂，三部中寫得最好的是唐家申，其餘『出生』及『創業』可讀性也強，讀者毋須認識陸儒，也讀得津津有味。」

陸月點點頭。

「還就是讀了本醫學常識，其中一節特別有趣，有醫生指出：自古以來，人類女性喜歡某種尺寸，所以擇偶時認真挑選，汰弱留強，數千年之後，適者生存，人類男性該部位比例強壯過其他雄性動物許多。」

陸月點頭，「一切可用科學觀點解釋。」

冷不防管家聽見，「兩位小姐，含蓄點好。」

助手咕咕笑。

陸月歎口氣，「說到底，都是我們自討苦吃自尋煩惱，其實地球上所有生物都只為着繁衍後代，單獨人類嚮往愛情。」

助手把自傳樣版放在陸月桌上。

管家問：「書裏可有提到你，朱因。」

陸月搖頭，「我微不足道。」

管家卻不以為然。

最最愛的甭提起，放在心底，所以陸儒自傳裏沒有陸月二字。

就像人沒有心肝脾肺不能存活，可是從來沒有人大聲嚷嚷「我的腸胃多麼可愛，我的腦子何等有用」，連在一體，毋須多言。

老人對陸月，也是這樣。

最後那幾年，雖然有醫生群力照料，說到底，是年輕明媚的陸月鼓勵他活着。

「朱因，朱因呢，叫朱因來」，這樣，他才呼吸下去。

唐家申也是那樣想。

十萬字感情篇中，不見陸月出現。

他為這本書刊登一則廣告：「本書扣除成本後所有盈利捐贈宣明會」，這是陸先生的意思。

唐家申與妻子終於正式分居。

當着律師，張女士同他說：「兒子歸我，女兒還你，我想把唐品改回原姓詹姆生。」

到今日才告知他藍眼珠來自何處。

唐家申輕輕說：「孩子姓氏改來改去，會引起他心裏疑團，不如照舊，子女由我兩人監管，無分彼此，稍為年長，任由他倆住到何處，我辦公室後有一休息間，希望他們兄妹每天下午在那裏做功課。」

張女士半晌才答：「你說得很對，」又問：「既然事事有商有量，為什麼還要分開。」

家申不語。

「我疑心你外頭有人，可是最近看來，又不是事實，你日夜在出版社忙工作。」

家申無言。

「家中，我倆如果復合，你不喜歡的習慣，我都可以改過。」

家中難受，他不想她繼續哀求，便說：「放完寒假，又一年過去，你會帶孩子們滑雪？札幌、亞斯本、威士那都是選擇。」

張琳知道無望，夫婦緣份已盡，她忽然乏力垮下，不再支撐，中年婦人的皺紋、脂肪，全部顯現，眼袋特別大，嘴角下垂，她低聲說：「歡迎你隨時探訪子女。」她離去。

家中垂頭，看牢桌子上一支鉛筆發呆。

老闆走進，「大作家，又為何事惆悵？」

家中抬頭。

老闆在他對面坐下，「我聽到謠言，大股東陸氏辭世，一半財產捐慈善機構，另一半贈給他的小妾，聽說那韓裔女子長得像狐狸精般冶美，你曾在陸宅進出，見過那女子沒有，是不是真事？」

半晌家中這樣答：「你知道得比我多。」

老闆說：「家申，你最掃興，蔡瀾告訴我：韓女最美，日本影壇着名美女松板慶子實是韓裔。」

「老闆，我相信大家都有工作要趕。」

家申黯然，他能說什麼呢。

那天下午，保母帶着他女兒上來，他讓她在休息室畫圖，不一會，發覺小孩在吃糖，一嘴果香，她身邊一隻小布袋裏載滿滿水果糖。

家申皺眉，「牙齒會壞掉。」

她呵呵笑，被副編帶出漱口。

漸漸這幼兒成為出版社一分子，她的稚氣圖畫被同事帶回家裱起來做裝飾，有一張叫「爸與我」，英俊倜儻的唐家申被畫成小丑一般，懷中抱着一個小小人，大家看得哈哈笑。

也只有可愛小兒才引得被生活作踐得萬分愁苦的成年人真心地笑。

他們喜愛唐晶並非因為她是上司女兒。

那傳說中的狐貍精或是蜘蛛精穿上運動衣跑步時其實與一般年輕女子無異。

她嘴吐白霧，奔近熱狗小販。

那小販咕噥：「今冬特別冷，快要結冰。」

陸月接過熱狗咬一口。

「這位小姐，知會你一聲，我明日收起檔攤退休。」

陸月一怔。

小販有點高興，「我知道你會牽掛，所以才告訴你，你初來光顧時才十多歲，推着輪椅病人，那是你爺爺？好久不見，還安康嗎？」

陸月不語，來不及付錢就跑走。

第二早，果然再也見不到同一小販。

世事不停變遷更新，有時，新事也像舊事。

回到一百號，管家說：「朱因，吉森等你。」

陸月看到吉森西服筆挺站在會客室窗前看公園風景，背影都那樣英偉。

「吉森，早。」

他轉過頭，陽光下陸月看到他鬢邊有些許白髮。

她脫下帽子手套。

「朱因，你坐下。」

「什麼事？」

「國際刑警找到陸明，他在巴黎。」

陸月不語。

「聽說，他仍然生活奢靡，住在市區的吉凡尼路，駕駛極速跑車，酗酒濫藥，並無掩飾身份。」

陸月聽到消息不出聲。

「真替他可惜，這樣聰明漂亮的年輕人，條件優秀，原本可以有番作為，卻落得如此下場。」

陸月伸手想撫摸吉森的臉。

吉森眼明手快握住她手腕。

「朱因，你這雙小手，老是不規矩毛手毛腳想調戲我。」

陸月微笑，「誰敢非禮警務署長。」

「你。」

陸月問：「你想我說什麼？」

「我忍不住想念陸先生的好處。」

「你想撤銷控訴？」

「叫陸明回來，重新做人，告訴他，仍然有許多人關懷他。」

陸月說：「吉森，謝謝你。」

吉森凝視她：「有市民投訴橋生會所是色情場所，掛羊頭賣狗肉，污染社會。」

陸月答：「歡迎突擊檢查。」

「我今晚帶人來查視。」

當晚十一時左右，他帶着風化組警員巡視。

那正是客人開始進場的時候，會所相當擁擠。

陸月與經理迎出。

吉森看到陸月呆住。

陸月穿一件淡金色貼身長絲袍，像是胴體上噴了層金漆，美好身段纖毫畢露。

她眼角敷着薄薄金粉，頭髮全往後梳，鮮紅嘴唇張開說：「湯先生，我們替你準備了桌子。」

她親自招呼他們坐下。

吉森用他尖銳目光四處瀏覽，只見客人大都廿多歲以上，衣着光鮮時髦，與友儕一起調笑，態度也許太過開放，但不算淫褻。

片刻，陸月邀他跳舞。

他低聲說：「公主，我在辦公。」

陸月這時才走開招呼人客。

吉森的同事懊惱說：「我活了這麼久竟不知有如此好地方！」他覺得口渴。

話沒說完，會所三十多呎高天花板上忽然墜下兩幅緞帶，一對半裸年輕男女纏着緞帶緩緩翻滾而下，一邊做着親熱動作。

連吉森都覺得別致。

午夜過後，人越來越擠。

陸月回轉，看着吉森不語。

吉森說：「我們告辭。」

陸月說：「歡迎光臨，下次再來。」

她送他們到門口，女侍應替陸月披上白狐皮坎肩。

吉森說：「冷，你回轉吧。」

陸月點點頭。

回到車上，那同事驚歎：「那是享樂藝術，另外一個世界！」

吉森不再出聲，是，那世界不屬他們。

第二早，陸月叫人收拾行李：「兩套運動衣即夠。」

管家問：「你去何處，我陪你。」

「我去巴黎兩日，找明官說話。」

管家吃驚，「你不適宜見他，叫高律師與他聯絡。」

「我欠陸先生人情。」

「朱因，你不欠任何人任何情，所有恩怨債項，均已一筆勾銷，你不宜冒險。」

「我必須這樣做才睡得安穩。」

「朱因，不可以。」

朱因緊緊握住梅管家雙手。

梅管家忽然說：「我只不過是一個僱傭——」

朱因微笑，「不要說明日會後悔的話。」

梅管家淚盈於睫，「朱因，你小心。」

她中午出發。

翌日清晨抵達巴黎，她叫車駛往吉凡尼路，那處是老人生前替她置下一幢天井內小公寓。

半路上天空忽然飄雪。

初雪輕盈，小小一片片似精靈，並不即時落到地上，下到一半，往往又向上飄移打轉，猶疑不決，似有生命。

停車進入天井，她拎着行李下車。

一名南歐婦女走近，「哎唷，是陸小姐，好久不見。」

陸月認得是管家璜妮達。

她告訴陸月：「真難得，你哥哥也在這裏度假。」

「他在屋裏嗎？」

她笑嘻嘻，「昨日傍晚外出到現在還未回來。」

她替陸月打開寓所大門，一陣酒氣霉氣衝出。

「我替你打掃一下。」

陸月把幾張大額歐羅塞進她手裏，「替我買些咖啡麵包水果。」

璜答應着立刻差人去辦。

屋裏到處是酒瓶，吃剩食物堆在廚房角落形成垃圾崗，惹小小蒼蠅飛舞。陸月歎口氣，明官對待住所，也像糟蹋他自己一樣。

女傭打開所有的窗讓新鮮空氣進屋。

先把客房打掃乾淨換上新床單被褥，讓陸月休息，她和衣睡一會。

不久驚醒，天色已暗，看鐘，才下午三時多，陸明仍未回家。

公寓煥然一新，還點燃着薰衣草味蠟燭。

陸月吃點麵包夾芝士，一大杯黑咖啡下肚，精神略佳，她沐浴更衣。

正用毛巾擦頭髮，看到陸明躺在她床上，擁着她脫下的衣服，看到她，輕輕問：「你來幹什麼？你不是應該避着我？我是瘟疫。」

陸月說：「這是我的房間。」

「這是我的公寓，我先來。」

陸月歎口氣，「好好好，全是你的，現在，可否先讓我穿上衣服。」

「你全身我沒有一處沒有看過。」

「你說得對。」

陸月當着他臉，脫下浴袍穿上內衣褲，然後套上運動衣。

陸明目不轉睛凝視她，一邊喝番茄汁，「朱因，你總是那麼瘦，四肢細細，像小孩子。」

陸月坐着他對面，他們好久沒有心平氣和地說話。

陸明沒刮鬍髭，也不洗頭，眼睛紅紅，嘴唇乾枯。

陸月說：「你像個乞丐，我在這裏都聞到你體臭。」

他邊笑邊咳嗽。

「明官，回家來。」

「我一入境，警方就會把我逮捕。」

「警方願意撤銷控訴，明官，回來重新開始。」

「我的罪名不輕：意圖謀殺。」

「你總不能一輩子遊蕩。」

「你指逃亡。」

陸月攤開手，「明官，我決定原諒你。」

他忽然笑，「你原諒我？我還沒考慮是否原諒你，你倒先賣口乖？」

「明官，一切都是我錯，你回家來吧。」

「當然是你的錯，記得嗎，大家七歲，在泳池游泳，你忽然建議脫光泳衣，立刻被管家發覺，好好敲我一頓板子，我卻沒把你供出。」

陸月意外，「什麼？我也被打一頓：手板、腿肚，痛好幾天，我一直以為你出賣我。」

兩人凝視片刻，忽然大笑。

半晌陸明問：「是因為那次你恨惡我？」

「我從來不恨你，我只希望你放過我。」

「你不住凌辱我。」

「這話從何說起！」

「我知道你有戀父情意，你只喜歡中年男人，先是湯吉森，然後是唐家申。」

「因為他們不會胡鬧，他們寵愛我。」

陸明說：「過來，坐我身邊，像我倆小時候那樣。」

「管家說，兄妹長大後，不能一起沐浴或共睡一床。」

「我們不是兄妹。」

「回家吧，明官，你永遠是我大哥，別再讓親者心痛。」

「靠到我身邊。」

陸月這時心中不再害怕。

她躺到他身邊，依偎着他。

陸明歎口氣，像是夙願得償，「你知道我最喜歡你什麼地方？」

陸月不出聲。

「你耳後頸上那雪白一小搭皮膚。」

他伸出手指輕輕撫摸，陸月覺得癢癢，十分舒服。

「我時常看到祖父摸你耳朵。」

陸月抱着他的腰。

「朱因，我不想傷你自尊，但是，今日你想必已知道湯吉森何等聰敏，他利用你得到警務副署長地位，他毫無猶疑離開你前往蘇格蘭場。」

陸月已不是十六歲，她當然明白。

「至於唐家申，他來時是潦倒寫作人，去時是一間出版社的總管，他們都因你大大得益。」

陸月發覺陸明並不糊塗。

「事實，朱因，沒人愛我們。」

陸明牽牽嘴角。

「他們都有目的，只有我對你真心。」

她撫摸他臂上紋身「永遠的朱因」。

「六月的確是全年最好的時間。」

「你講完沒有，一起回家吧。」

陸明語氣諷刺，「你對我們敬愛的祖父真是忠心耿耿，他是什麼人，你最清楚，他才該被抓到牢裏關起。」

陸月不出聲。

「我父親為何被他逐走？那蠢人發覺老人與你關係不正常，贈你大量財物，恐怕財產旁落，故此暗中調查，打算報警，把你剔除，誰知掃地出門的是他，朱因，老人對你癡迷。」

陸月震驚，「我完全不知此事。」

「他鬥不過老人，律師出示證件，指明你已十八歲，一切合法，朱因，你十八歲了嗎，我記得你只有十五歲。」

陸月是沒有出身證明文件的孤兒，任憑捏造。

「他趕兒媳出門，每月撥些生活費用給他們，問我選擇跟誰，我捨不得你，朱因。」

陸月點頭，「對，什麼都賴我身上。」她哈哈大笑。

「我跑去紋身，明血志，在祖父身邊呆足十年，可是，照樣得到零報酬，他心中只有你，朱因，而你心中也只有他。」

陸明把她抱緊緊。

「朱因，為什麼我們不能和平共處。」

「因為你不止一次想殺死我。」

「我答應你不再濫藥酗酒，你答應與我結婚。」

「你是我大哥，我是你妹妹。」

「放屁。」

「明官，今天就跟我回家。」

「我要想一想。」

「回家不用考慮，我與你立刻走，飯店與會所全交還你。」

「我還有一些事要交代。」

陸月看着他，知道話已說盡，到此為止，否則會弄巧反拙。

陸明說：「你先回去吧。」

「趕我走？」

「你送上門來，反而叫我反省。」

陸月緩緩起身，心中有一股不安預兆，卻不知是什麼。

陸明握着她的手不放，終於逐隻手指脫開。

「我在家等你。」

陸明點點頭。

陸月不想久留，不過還是到羅浮宮去參觀勝利女神像。

她在振翅欲飛的納基雕像面前默站一會，然後叫車到飛機場。

梅管家來接她。

「見到了嗎？」

陸月點點頭。

「他怎樣？」

「十分憔悴落魄。」

「答應回家否。」

「好像同意，但是作不得準。」

陸月歎口氣，握緊梅管家雙手。

「難為你了。」

「應該的。」

「你看你瘦得。」

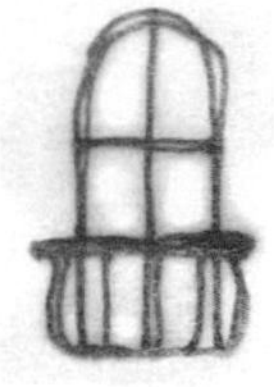

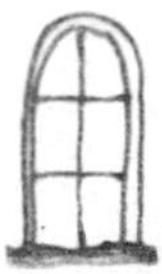

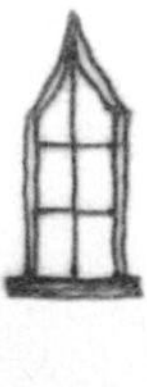

「瘦好，眼睛看上去大些。」

「啊，可愛的朱因。」

回到家，陸月立刻辦事，吩咐高律師把飯店及會所業權書立刻傳真給陸明簽署表示誠意。

她換上便服，去探訪吉森。

陸月最不喜歡驚喜，她已預早知會她有話要說，請他等她。

可是到了他家，只見大門虛掩，鄰家孩子在走廊嬉戲，十分吵鬧。

陸月揚聲，「吉森？」

屋裏有人說：「進來。」

陸月推開門，看到客廳情況，不禁怔住。

只見椅子旁放着一副燙衣板，旁邊一大疊男裝襯衫，分明有人在做家務。

陸月不禁想起，吉森同她說過，他是一個普通人，做他的妻子，必須兼做家務，並且，只准隻身嫁他，不許攜帶粧奩。

他的住所狹窄，走廊是遊樂場，客廳兼洗衣房，不同一百號：沙龍、書齋、圖畫室、大小會客廳……各管一種用途。

陸月百感交集。

這時有人自睡房出來，手中拿着隻小小收音機，古老器材，播放古老的歌，時光彷彿倒流。

陸月聽到一把女聲幽怨清唱：「明知道我不該愛你，為什麼好像有回憶，明明存心想忘記，一轉眼偏又想起你——」

手捧收音機的是一個女子，看到陸月，也同樣怔住。

她走近，「請問你找誰？」

陸月看着她，只見女子年齡不小，約三十多歲，甚至更大，眉梢眼角，充滿風情媚態，皮膚像荔枝蜜般淡棕色，穿着套褪色香雲紗衫褲，敞着領口，她身段如葫蘆，略為鬆弛的胸脯更顯得貨真價實。

她微微笑，「你找吉森，他有急事出去，我見有空，替他整理衣物，你可要

等他，我斟杯茶給你。」

她一轉身，陸月看到她的豐臀。

她小髮髻插着一排白蘭花，風情十足。

陸月知道她一定是吉森的長期女友。

陸月雖然年輕，卻很老練，她輕輕說：「不用了。」

這時收音機裏女聲唱到：「你莫非有魅力，總叫我難忘記，難忘記你的情意——」

這是什麼歌，好似一個世紀前的老調，吉森有那麼老嗎？

那女子目不轉睛的看着陸月，手卻開始熨襯衫。

她溫柔地把熨斗在布料上移動，好像那就是吉森的皮膚，那無限依戀，叫陸月發呆。

陸月緩緩自手袋取出一本書，放在桌上，「我給吉森這本書來，這是家祖父的自傳，吉森曾替他工作，送一本予吉森做紀念，我還有事，先告辭。」

女子意外地問：「你不等他？」

陸月搖頭微笑，轉身離去。

走廊玩耍的孩子們把一隻球踢到她身邊，陸月把球踢回。

吉森說得對，這不是她的世界。

陸月忽然覺得雙腿酸軟。

下樓梯時，那隻球又朝她飛來，她閃避，錯過一級，扭失足踝，蹬蹬蹬往下滑落，右足痛入心肺，陸月咬緊牙關站起，握牢扶手，一步步掙扎到樓下，已痛出一額冷汗。

司機看到，立刻把車駛近停下，搶出扶住。

陸月苦笑，搭着司機肩膀，呻吟上車。

回到一百號，她的右足已腫如豬蹄，脫鞋時痛得她臉如金紙。

管家大急，「快叫朴醫生。」

陸月忍痛說：「人家是腫瘤科醫生。」

「我管他呢，反正我只信他，快，快。」

陸月痛得作不得聲。

管家怪責：「朱因，你在什麼地方摔這麼大筋斗。」

是，好大一個筋斗。

是湯吉森。

陸月長歎一聲，她哪裏是他對手，他分明故意安排，他哪裏想過要長遠同她一起。

陸月默默流淚。

是她不識好歹，逼他採取行動，表明心跡：有什麼需要，儘管找他，但他不屬於她。

陸月歎氣，「明白了。」

管家問：「明白什麼？」

「梅媽，我老是愛錯人。」

「別自責，這是人類最易犯的錯誤。」

這時女僕進來說：「湯吉森電話找朱因。」

朱因答：「朱因說朱因不在。」

管家說：「我去回他。」

另有通報：「朴醫生到。」

朴正恩走到陸月面前，扶起她，陸月聞到一陣消毒藥水味，心裏踏實許多。

她呻吟：「痛。」

醫生說：「你站起我看看。」朴醫生總是看到她遍體鱗傷。

陸月試圖站立，哎喲一聲，跌倒在地，心裏懊惱，把所有她懂得的粗話全部罵出詛咒。

朴醫生看着她氣急敗壞的可憐幼稚模樣，連忙抱起她，忽然衝動，他忍不住趨近吻她嘴唇，慌忙間卻未吻中。

陸月以為他憐惜她似安撫小兒般親吻她，剎那間她腦下垂體分釋出安多芬，

使她覺得疼痛可以忍受。

但朴醫生卻未曾停止，他用手捧着她小臉固定位置，吻她的唇。

陸月迷惘，她輕輕說：「醫生，你怎麼了，你一向冷若冰霜。」

朴醫生低聲答：「我不諳華語。」

「你起先冷冷冰冰。」

「我冷？朱因，那麼你已結冰，你從來不正眼看我。」

「你是祖父的醫生呀。」

「我在你家進出有七年之久——先到醫院去照愛克斯光，我猜你扭傷筋骨。」

他抱起她下樓，一路上不見傭人。

他駕駛一輛吉普車，疾駛往醫院。

路上陸月遲疑問：「你喜歡我？」

朴醫生聲音更低，「很喜歡很喜歡。」

開頭並不如此，起先他覺得陸月像剛自禮盒裏拆出的洋娃娃：時時穿着艷麗的衣裳，戴滿首飾陪着重病坐輪椅的老人。

她看見他，一定站好，微微鞠躬，當他是尊敬的長輩，他也樂意接受。

他倆的眼光從未接觸，也不曾對話。

直至她有事他前去診視。

那少女躺床上，仍然像洋娃娃，可是像被頑童虐待過一陣子，她臉容憔悴，神情呆滯。

管家輕輕說：「失戀。」

醫生覺得好氣好笑，責備她幾句。

他看清楚她，啊，真是娟秀，面孔只比他的手掌大一點點，精緻五官有點像他母親，使他覺得親愛。

不久，管家再叫他到一百號診治，情況大大不同。

他立即建議報警。

但是管家在他耳畔說：「行兇的是陸先生孫兒。」

醫生馬上明白到這可能拖垮老人病情，只得啞忍。

少女稍後往外國留學，醫生盼望她回家再見。

老人也時時說：「朱因肯回來就好了。」

是先進的醫藥把他強留在世上。

少女終於回來，醫生意外驚喜。

只見陸月長高許多，神情冷酷，罕見笑容，衣着更加華麗暴露，叫她艷光四射。

她看到醫生，一定先站好，然後恭敬地頷首稱呼，目光仍不接觸。

也許，朴正恩想，她以為他已七十歲。

他總是含蓄地等陸月出現。

最後，陸先生辭世。

醫生任務已經完畢，他惆悵地想，他與陸家關係已經結束，陸氏捐贈大筆款

項予醫院腫瘤科，好讓他繼續做研究，但是他心惻然，因為再也沒有機會見到陸月。

沒想到他終於要為她報警。

這次醫生充份領會到什麼叫做心如刀割，他憤怒地第一時間通知警方緝捕兇徒。

陸月受到淫虐，她胸上嚙痕深到肌肉腐死，需要切除，他請求矯形科同事協助。

那專科醫生輕聲說：「這世上真有禽獸。」

朴醫生看到病人酥胸，瘦削的她胸脯卻形狀似蘋果相當豐滿，叫醫生心動是乳暈顏色淡得像粉紅珊瑚，像個嬰兒。

她當然不知他偷窺她。

這時朴醫生已知道她有親密男友。

那一刻吉普車到達醫院，他抱她進急症室。

陸月央求：「醫生，不要離開我。」
醫生微笑，「我叫正。」
照過愛克斯光，證實脛骨折裂，需要打石膏，休息六個星期。
陸月沮喪地說：「一條腿的朱因。」
「允許我陪伴你。」
「醫生，你工作忙碌。」
他把她抱緊緊，「一個人總有假期。」
他把她貼緊胸前，片刻鬆一鬆，又擠緊她，也很頑皮。
陸月這個時刻實在需要安慰，她把臉靠他肩膀上。
「為什麼摔跤。」
「失戀。」
「又失戀，這次為着誰？」
「同一個人。」

朴醫生倒抽一口氣，「你有沒有再蠢一點？」

「那就是我。」

陸月忍不住抽噎。

「朱因，對不起，我無意揶揄。」

回到一百號，高律師氣急敗壞在門口等候。

他黯然說：「朱因，你先坐下。」

陸月覺得異樣，「梅媽呢，你找我什麼事？」

「梅管家與洪律師已趕往巴黎，我傍晚上飛機與他們會合。」

「巴黎，可是接明官回家？」

高律師不再說話，把一份報紙攤開，放在陸月面前。

Le Figaro。

那是一張法文報紙。

陸月讀頭條：Le crime de passion!

La starlette a tue´ son amoureu.

她看到兩張照片，一人是個艷女，另一張，正是陸明。

情殺案！小明星槍斃情人。

陸月張大雙眼，忽然之間，手足冰冷，血像是不上頭，她雙手簌簌發抖。

「這女子叫ＢＢ，一直跟在他身邊，我們都見過，他要與她分手，她不甘心……」

陸月抬起頭，想說話，卻發不出聲音。

她雙眼露出無比哀傷。

兩個互相仇恨的孤兒，剛剛獲得諒解——

陸月視線模糊，眼前充滿綠光，她軟倒在地，失去知覺。

朴醫生把陸月擁在懷中。

高律師說：「醫生，你照料朱因，我要趕去飛機場，請告訴朱因，湯吉森會與我一起到巴黎辦事。」

朴正恩輕輕貼住陸月臉頰。

他一點也不為陸明的意外難過，為救治病人時時不眠不休的他對這個人卻一點憐憫也無，聽到消息，鬆口氣，放下心頭一塊大石，不然，知道他要回來，不知多麼為陸月擔心。

女僕取冰袋給陸月敷臉。

片刻她回復知覺，低聲說：「打開書桌第一格抽屜，請把酒壺交給我。」

朴走近去取過扁銀壺，拔開瓶塞一聞，醫生的嗅覺靈敏，他輕輕說：「Absinthe.」

陸月以為他會不給她喝，可是朴很大方開明把瓶子遞到她面前，陸月喝一小口，精神穩定一點。

她取過報紙閱讀詳情，記者本事真正驚人：半版紙，兩個人，一對年輕男女的生與死全在上邊。

在吉凡尼公寓內，陸明與女伴見面，他要求分手回家，她不肯，他曾答應為

她在巴黎置業定居，爭執得不耐煩，他動手毆打她，她渾身傷痕，肋骨折斷可作證據。

她忽然打開手袋，取出一把手槍，朝他胸膛開三次，第一枚子彈射中頸項，已經奪命，但是她急於求生，再加多兩槍，超殺。

事後，她親自報警。

陸月輕輕把新聞讀出。

朴不出聲。

這時陸月才發覺朴外衣內穿着手術服：葉綠色短衫及長褲，像套睡衣，他穿球鞋，卻沒有襪子，如果不是醫生，可真有趣。

放下報紙，陸月輕輕說：「告訴我你的故事。」

朴見她恢復常態，不禁歡喜，這年輕女子比他想像中堅強得多。

他輕輕答：「從何開始？」

「太初有道，道與神同在。」

「啊，我在美國出生，已是第二代土生，父母與姐姐都是醫生，我十二歲進醫科——」

「你是天才兒童。」

「是有那種叫法。」朴微笑，「十八歲出任腫瘤科，我今年廿八歲。」

「你只有廿八歲？」

「身體健康，機能良好，熱愛工作。」

「聽上去好得不像真的，沒有缺點？」

「有。」

「可以告訴我嗎？」

朴醫生搖頭，「將來你會知道。」

「我猜到那是什麼，韓裔的男尊女卑思想同華人一般根深蒂固，你要求妻子多多生養，看好一頭家，事事以子女丈夫為重，可是那樣？」

朴正恩不由得笑起來。

這時女僕捧進茶點。

陸月一看，都不喜歡，她輕輕說：「給我做一碗青菜煨麵。」

朴醫生說：「我也要。」

女傭微笑着答應下去。

他指着瓷碟，「這些糕點太過香甜，像吃香水糕似。」

他不喜歡。

這叫陸月訝異，難得有人免疫。

想起唐家申，她內心牽動。

梅管家一行人在三天後才回轉。

陸月在門口扶着拐杖迎她。

管家胸前緊緊抱着一隻雪花大理石瓶子，她眼睛與面孔紅腫。

陸月扶着她進屋，她把瓶子交給陸月。

她輕輕說：「你看，白頭人送黑頭人。」

高律師說：「若無湯吉森協助，事情不能辦得這樣快捷。」

陸月抱着瓶子，垂首無言，心中凄苦。

物是人非，她老是覺得一抬頭，還是可以看得到陸明官輕佻走近脫下外套，露出最時髦西裝外套金色緞裏，挑釁地要親吻她。

陸月落下淚來。

明官與他祖父都不在人世，他倆在另一處會面，必然冰釋前嫌，相依為命。

陸月呆坐大堂。

高律師輕輕說：「明官一切所有，現在都屬於你，朱因，你是陸氏唯一承繼人。」

洪律師加一句：「朱因，你如果要結婚，千萬得與我說一聲。」

陸月想起另外一個與她年紀相仿的女子。

「BB呢。」

「誰？」

「那兇手。」

「啊，她，警方說，她確實是自衛，可獲無罪釋放，朱因，明官如果一早治療——」他說不下去。

管家說：「大家都好好休息吧。」

傍晚朴醫生來看陸月。

他與陸月擠在一張沙發裏，抱緊緊。

梅媽正要打點陸月吃飯，一進房，看到兩個年輕人像毛毛小動物般依偎一起，她連忙退出，一邊說：「對不起，我什麼也沒看見。」

梅媽心裏卻忍不住替小陸月高興，眼看她心胸一次又一次被掏空，百難中卻又萌出生機，這朴醫生是熟人，一等一好青年，陸月如能同他在一起，梅媽不知多放心，朴醫生比湯吉森或唐家申勝百倍。

梅媽又忍不住欷歔，活着的人總要活下去，片刻又是另外一番光景。

陸月對大筆財產沒有興趣，整幢一百號將裝修出租，管家已派人收拾明官住

所。

衣物全部放進紙箱送到慈善機構，抽屜逐格整理，管家一邊打理一邊問女僕：「朴醫生這幾天一直在這裏？」

女傭答：「朴醫生有時間才出現，說不到幾句話，醫院又召他，來去匆匆。」

「吉森有來過嗎？」

女僕搖頭，「朱因說她不在家，不與他說話。」

管家點點頭，做得對。

「唐家申呢？」

「也說不在，有幾個記者找朱因，亦推掉了。」

唐家申當然也看到報紙頭條。

他震驚得說不出話，大半日呆坐辦公桌後哀思，身為寫作人的他聯想甚多，

陸明這漂亮的年輕男子宛如希臘神話悲劇主角伊卡勒斯，他佩戴着蠟造羽翼，飛

向自由，自以為是，過份接近太陽神，惹怒阿波羅，融化他的人工羽翼，伊卡勒斯墜入愛琴海溺斃。

傳說那日天氣良好，無風無浪，農民如常落田耕作，婦女紡織，孩童嬉戲，一切不變。

正如此刻的標準出版社，有人生日，同事買回蛋糕小食一起祝賀，還開了汽酒，盛紙杯裏痛飲。

他們不知道陸明是誰，無關痛癢。

家申的小女兒在休息室寫字，聽見有蛋糕吃，走出探視。

家申示意她可以享用他那份點心。

那塊蛋糕上剛巧有朵奶油玫瑰花，分外叫家申心酸。

他把小小粉紅色糖花輕輕放進女兒嘴裏。

小晶給他看她寫的大字：「失敗乃成功之母」，家申苦笑，既然旁人對我們的生死如此無知無覺，我們更應該好好活下去。

家申把女兒抱懷裏，讓她吃完蛋糕。

助編進來說：「陸朱因不聽電話，高律師說她摔傷脛骨，走動不便，正在休養，出版社有事不必向她匯報。」

「可以探訪嗎？」

「她不見任何客人。」

家申感慨，他今日已貶為客人了。

助編這時說：「書店說，新作家李伯濤小說極受歡迎，要求再版，初版已印二萬冊，這次——」

家申不由得點頭。

「這次眼光真不賴，前仆後繼，失敗乃成功之母，終於被我們找到一顆明星。」

這時小晶大聲說：「Dada，失敗乃成功之母！」

惹得大家笑出聲。

助編抱起小晶，「唐晶，你是標準出版社的榮光，沒有你，我們這班耕牛如何會笑。」

這不是訛話。

梅管家一邊收拾陸明遺物，一邊流淚，一個高大的年輕人，雙腿走出家門，回來時已是一瓶灰。

她看着他長大，他有一雙會說話的眼睛，他漂亮得有點妖異，故此不得大人歡心。

管家打開一格抽屜，看到一隻小小鐵皮盒子，它前生用來載放他妃糖，盒面印着一個吹肥皂泡的紅衣男童，打開一看，裏邊裝着零星雜物。

管家哎呀一聲，輕聲說：「叫朱因來。」

朱因借助拐杖緩緩走進。

「朱因，這盒雜物你可熟悉？」

只見小小鋅鐵盒內有幾枚粉紅色髮夾，一隻獸棋，以及幾幅小小圖畫。

陸月低呼：「這些都是我的東西。」

尤其是那枚寫着「鼠」字小小棋子，它忽然失蹤，陸月得用硬紙自製一枚代替，沒想到多年後它會再度面世。

這是怎麼一回事？

陸明官偷偷收集她的雜物。

管家心酸，「他為什麼不說清楚？這孩子好不怪異。」

他用恨表達他的愛。

那是不可能的愛。

陸儒活着一日，都不會把她放手讓給任何人。

陸月僵硬面孔，胸口隱隱作痛。

她輕輕坐在床沿。

梅媽問她：「幾時拆掉腿上石膏。」

「月底。」

「別懊惱不耐煩，試想想，有人出生就少了一腿。」

陸月垂頭。

「朱因，今日的你既有自由又有財產，你還年輕。」

陸月不出聲。

「朴醫生與你進展如何？」

陸月微微牽動嘴角。

「與朴醫生在一起，你才像年輕人，他未婚，也無子女，他對你專心一志。」

「梅媽，世上並無永恆之事。」

「但至少表面證據叫人放心，我認識朴醫生多年，這男孩沒有缺點。」

陸月忽然一笑。

「怎麼了？」

「他也是個男人。」

「那自然。」

「他也會講肉麻的話，他的手也到處亂放，他很會吃醋，對過去女友，一字不提，企圖隱瞞。」

梅媽笑，「完全正常。」

陸月把鐵盒子抱在懷裏。

「朱因，我打算年底告老退休還鄉，向你請辭。」

陸月臉色轉灰，「不。」

梅媽意外，「朱因，我年事已高，不想操勞。」

「不，」陸月整張小臉掛下，「不，」她扭曲五官，放聲號啕，「你不能離開我！」她大哭。

「朱因，快別這樣。」

梅媽緊緊擁抱。

陸月索性把這段日子忍耐按捺的眼淚全部釋放，她整張臉都似湧出淚水。

傭人聽到哭聲都前來探視。

陸月大叫：「誰要走我就毒死誰！」

梅媽吩咐傭人：「去看朴醫生能不能來。」

陸月埋頭痛哭。

當年吉森要離去，她也決心下毒毒死他，十六歲的她竊取祖父櫃內藥物，她偷了十餘粒可典止痛劑，搗碎混入咖啡。

吉森只喝一口，便覺唇舌麻痹，立刻漱口，即便那樣，整個上午嘴巴毫無感覺，似在牙醫處打過麻醉針，他當然知道這是誰做的好事，小陸月之任性，更增他去意。

這時女傭匆匆回報：「朴醫生在手術室，不接電話，已經留言。」

梅媽向陸月說：「聽見沒有，你怎麼好妨礙他工作。」

陸月知道大勢已去，她確已長大，再也不能一跤坐跌在地，討價還價，賴着不起，世上最愛她的陸儒與陸明均已離世而去，她已老大。

朴正恩在第二天清晨才趕到，梅媽見他一臉倦容，不禁心疼，「你到現在才下班？」

他微笑，「手術成功，同事們雀躍，病人可望活至耄耋。」

梅媽說：「閣下是上帝派下來的天使。」

朴正恩再笑，「不敢當不敢當，朱因呢。」

「還在休息，她情緒欠佳。」

「梅媽，朱因現在只有你一個親人。」

「還有你呢。」

朴緩緩說：「梅媽，我要徵求你同意，我想向朱因求婚。」

管家意外，忽然淚盈於睫。

年輕的醫生有點忸怩，「我知道事情彷彿有點倉猝，我們也尚無詳細計劃，不過我倆認識已有多年——」他深深歎口氣，搔着頭。

管家輕輕說：「我只是朱因保母，不過，我覺得把朱因交到你手上我會放

心。」

朴鬆口氣，「我很感激你。」

「我希望你帶朱因出去走走，她與外邊，太少接觸。」

「明白。」

「你要有心理準備，朱因不諳家務。」

「梅媽，那些瑣事，我會得應付。」

「怎好勞駕你，我會派人到府上服務。」

陸月的聲音在他們背後響起：「你們在說悄悄話？」

朴正恩轉過頭，「朱因，過來。」

她擠到他身邊，兩人坐一張椅子。

梅媽看着他倆，真覺賞心悅目，這一對年輕男女劍眉星目，實在好看，原本高大的陸月在朴醫生懷中忽然顯得嬌小，那樣親密卻不見猥瑣，實屬一對。

梅管家說：「我還有事要做，你們一起吃早餐吧。」

陸月追問：「他剛才臉紅紅說什麼？」

「他徵求我同意向你求婚。」

陸月一怔，不覺雙耳也燒紅。

她嚅嚅說：「我們還未開始約會呢。」

「那麼，到處意思意思逛街看戲跳舞，三個月後訂婚也差不多是時候。」

陸月黯然，「以前都是我向人求婚……」

「過去的窩囊事拜託陸小姐你就別提起。」

「朴的優點就是精力充沛，他做完八小時大手術還可以與同事打籃球減壓。」

「他才廿多歲。」

「許多男伴之中，最年輕是他。」

這話由別人說來，太過諷刺，但是陸月親口道出，卻不覺什麼。

「你要珍惜朴醫生。」

「咦，他怎麼不聲不響。」

一看，朴醫生已倒在沙發上熟睡，嘴臉鼓鼓的像個大孩子，十分可愛。

陸月說：「朴與他們不同，朴完全屬於我。」

「根本你就應該與同齡朋友在一起。」

「我勸告所有年輕女子，不要牽涉已婚男子。」

梅媽看着陸月，這話，她是說給自己聽的吧。

陸月委屈得眼睛紅紅，「梅媽，吉森從頭到尾，從來沒有愛過我。」

梅媽說話永遠得體，「他是中年人，他的顧忌多。」

陸月用一條毯子罩在朴正恩身上，輕輕說：「三蓋衣。」

梅媽說：「他會珍惜你。」

陸月說：「開頭時候，他們都那樣想。」

「朴醫生不一樣，他可以奉獻所有時間精神給你。」

陸月微笑，「對，他不是pre-owned貨色，他從前沒有主人，一手貨。」

「朱因。」

陸月與朴醫生這才正式約會。

拆掉腿上石膏，陸月有再世為人的感覺。

朴替她按摩足部，教她重新就力走路。

同他在一起，陸月不必有任何顧忌，朴沒有缺口，她只需照顧自身傷痕即可。

「有什麼好去處？」

朴坦率答：「能夠緊緊擁抱你的地方都是好去處。」

他帶她乘摩天輪，在倫敦天眼輪上，陸月問他：「萬一下不來怎辦？」他答：「那就一輩子了。」他們嬉笑。

他看着她全身重重裹在寒衣裏，他把她絨線帽拉低些，陸月再也不穿從前那些華麗性感的晚服，這叫他放心，現在，只有他一人知道她身段如何。

「春季快到。」

陸月笑答：「那樣就一輩子了。」

她緊緊擁抱他，朴正恩並不精瘦，他可沒練成六塊腹肌，很多地方他肉孜孜，大腿尤其粗壯，陸月最喜歡他那樣。

他並沒有叫她迷醉，他也許不會把她帶進極樂境界，但與他在一起，陸月非常歡喜開懷，不覺壓力。

她陪朴觀球賽，全世界足球涇渭分明，他們捧藍鳥，偏偏一對紅人迷坐前邊，那年輕紅人女球迷十分粗暴，不住罵山門：「喂，該死藍鳥，這叫打球，這叫使奸，你媽沒教你規矩……」

一小時下來沒住過口，叫陸月駭笑。

朴正恩同她拌嘴：「女士，觀球不語真君子。」

陸月嚇得拉開他，躲在他寬厚肩膀後邊。

朴轉頭吻她。

紅人迷不放過他：「你看球還是交歡？怪不得藍鳥必輸！」

藍鳥確輸了球，可是朴不覺遺憾，因為他疼愛的女子在他身旁。

自幽思美地國家公園回來，陸月氣色好得多，體重增加，她驚歎：「誰想到我會變胖子！」

在度假大屋住足七天，連電視機插頭都拔掉，陸月從一座叫做一百號的高塔走出，去到原野，四周圍都是參天古柏，流水淙淙，一股叫「老忠」的噴泉，每小時自動噴發一次，分秒不差，陸月曾在課本讀過，今次目睹，特別開心。

每早朴正恩做早餐給她吃：兩蛋、班戟、香腸、大杯咖啡，吃飽飽，出去遠足，呼吸新鮮空氣。

一次看到棕熊，朴二話不說，揹起陸月，飛奔回吉普車，疾駛回大路。他嚇得心跳疾速，朴醫生曾聽人說，大棕熊足夠力氣把整扇車門扯脫。

逃離現場，他倆驚魂甫定，笑作一團。

朴輕輕問陸月：「可以結婚了嗎？」

「還沒有，還得多哄我一會。」

夜空，天上的星宿多得像撒落一籮鑽石，他們把電毯拉到露台搭身上看流星雨到凌晨。

陸月心想，如果有香檳就十全十美。

否則，總好像欠了什麼。

就是因為一瓶酒嗎，陸月不能肯定。

終於帶着十磅脂肪回來。

梅媽說：「標準出版社有春茗，請你參加。」

陸月意外，「出版社尚未出售？」

「那是陸先生交給唐家申的生意，你忘了？」

「我以為所有陸氏生意都已結束。」

「出版社不算大生意，不過家申做得很好。」

陸月沉默一會答：「這上下我已不再陪客吃飯。」

「那是你屬下，怎麼可以算客人，員工最需籠絡，你去探望是好事。」

「家申會在場？」

「家申在東京洽商漫格版權。」

「我不想出席。」

梅媽無奈，「你從未聽過我一句話。」

陸月連忙陪笑，「好，好，我言聽計從。」

「你去一下就可以告退，我找高律師陪你。」

過一會陸月問：「家申與妻子分開沒有？」

「正式離婚了。」

「兩個孩子呢？」

「同父親住，保母還是我介紹的呢。」

「他有女朋友否？」

梅媽答：「我只知道你已有親密男友。」

「他仍然那樣不羈？」

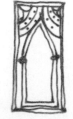

「顧名思義，搞男女關係需要兩個人，不能盡怪他。」

「梅媽站他那邊。」

「家中此刻很規矩，生活極之規律，親身接送兒子上學放學，他們說他開會時會抱小女兒坐膝上。」

陸月忽然微笑。

「難以想像可是。」

陸月過一會問：「吉森呢？」

「吉森真是沒話說，明官在法國出事，多虧他與國際刑警斡旋，陸先生沒看錯他，他此刻應邀赴溫哥華與當地警方商討華裔有組織犯罪集團的來龍去脈，臨行之前，多次致電辭行，沒找到你。」

陸月不出聲。

「朱因，他的子女已進大學。」

陸月埋頭讀文件，佯裝聽不見。

她也知道，她愛的湯吉森，是她十六歲時的吉森，她心淒然。

這時一百號已開始裝修，陸月成為遊牧民族，搬上搬下，避開噪音，如住酒店。

一次朴正恩來找，到十六樓，只見人去樓空，他嚇得魂不附體，跑到辦公室找人，才知陸月已搬到七樓。

公寓還未裝修妥當，已經全部租出，陸月大可收租度日，像那種有家底的老太太。

她把那盒幼時玩的獸棋小心翼翼搬上搬下隨身走，棋子內有一枚鼠棋失落，後來在明官雜物中尋回，歸還原處，可是，陸月手繪用硬紙製成的代替棋卻又失蹤，一盒童棋也如此滄桑，真叫人稀罕。

朴醫生四處物色寶石訂婚戒指。

連梅媽都詫異，「朱因都不在乎這些，她曾非議人類貪婪，把地球剝掉一層皮那樣尋找寶石，每百噸原礦只能找到一卡拉鑽石，那些鑽石中只有百分之五才

可以用來鑲首飾。」

陸月是那樣說過。

管家同朴醫生說：「把她壓倉的石頭拿去重鑲倒是夠環保。」

朴醫生不敢茍同，「那怎麼可以。」

可見還是年輕，梅媽歎口氣。

春茗那日，管家勸說穿鮮色一點。

陸月不願，她選淺灰色套裝與襯衫，平跟鞋。

管家說：「我替你取出套珠飾。」

陸月答：「我將嫁朴醫生為妻，醫生薪酬不能負荷的物質，我不考慮採用。」

梅媽亦覺寬慰。

高律師接她往出版社。

電梯門打開，同仁們以為會有一個氣焰高傲衣着奪目的年輕女子走出，卻只

看到一張清秀白皙小臉，一點化妝也無，不由得驚喜迎上。

陸月見到出版社裝修樸素實用，倒也高興。

同事們正搓麻將，噼啪響十分熱鬧。

「陸小姐你也來。」

高律師笑，「我可證明朱因不懂牌章。」

「國粹呢，奇是奇在家申也一竅不通。」

陸月聽到家申兩字心中一軟。

這時附近茶餐送茶點上來，都是些極之油膩粗糙的食物，可是這種炒飯粉麵往往最可口，陸月看到蛋撻，連忙抓起一個放嘴裏。

副編笑，「我們這裏不提輸（書）字，讀書叫視察業務，哈哈哈哈。」

「我們有最新的業務報告，由唐家申親自撰寫，我取給你看，」助編興致勃勃，「請到家申辦公室，這裏靜一點，誠實的報告得失許多名家，要追殺家申。」

一進辦公室就知道「藝術家在此工作」，寬大辦公桌上堆滿書報雜物，好像什麼都不捨得丟棄，亦無人收拾：空汽水罐、糖紙、蛋糕盒、舊報紙、剪圖、大樣……應有盡有，陸月找一個空檔坐下。

助編給她一份報告，以及一碟肉絲炒年糕。

「年高年高，年年高升。」

陸月把整碟吃光，助編幫她收拾碟子，一邊說：「陸小姐你的口紅糊了點。」

她出去了。

陸月正在讀報告，順便伸手進手袋取出口紅及小鏡子。

家申寫書評十分坦率，雖具建設性，但是許多寫作人當作品如子女般溺愛，完全不接受意見，叫閣下指正，即敬請大家喊好，難怪唐家申得罪人，也怪不得標準書評這小小刊物如此成功。

陸月對牢小鏡子抹上口紅，忽然在鏡子反映內看到一個人。

她手上鏡子落到地上。

這時，那人輕輕走近，接過她的唇膏筒，幫她搽下唇，才描兩下，不得不停下。

陸月只覺得她自頂至踵所有細胞都開始痳痹。

那人當然是唐家申。

他彷彿得知陸月在這裏，不知從飛機場還是家裏像流星般趕來見她。

他雙手顫抖，終於放下口紅，凝視陸月。

陸月亦無比淒惶的看牢他英俊熟悉的額角。

終於唐家申歎口氣，「陸月你何故折磨我，又何故折磨你自己。」

他走到窗口，背着陸月站住不動。

陸月知道感情上最壞一件事是癡纏，她應當站起離開出版社，現在，馬上！

但是唐家申對她的吸引實在太強烈，她內心叫苦，可是身不由主，走近他，自背後擁抱他，把臉與胸貼到他背上。

她長長呼出一口氣，像流浪兒終於回到家裏，他身上每一個弧度都緊貼她，他知道她要什麼，她依着他再也不想走開。

她在心底叫他：家申。

他像聽到她，輕輕答：「這裏。」

她又喚他，呵家申。

「是我，在這裏。」

她把他扳過來，仰起頭，找到他嘴唇。

到這個時候，她知道她最愛的是什麼人，啊決不是朴醫生。

當下家申呢喃問：「你最愛誰？」

「你。」

「再講一次，陸月最愛誰？」

「家申。」

她簡直想設法鑽到他皮子底下去。

每一次相會都在半公眾場合，所以偷歡是人類最最追求的罪惡享樂。

家申在她耳邊說：「讓我給你蜂鳥。」

「家申，」陸月的聲音更低，「我倆可似野獸。」

他卻說：「那不正確，這些日子，除你之外，我並無別人。」

「家申。」

「你就不可以說同樣的話。」

「你為什麼離開我？」

「我只有一個要求，陸月，我可以為你做許多事，但我決不可容忍與別的男人分享你。」

陸月埋頭不語。

「我以為你已準備結婚。」

他緊抱着她不放。

一邊高律師在外頭輸了副大牌，覺得無味，抬頭找陸月，卻不見了她。

他找到辦公室，看到她與唐家申擁抱，兩人想要掐死對方似，高律師知道他倆淵源，不禁歎一口氣，他輕輕掩上門。

奇怪，他又坐回牌桌，在他眼中，小陸月雖然嬌俏，但長相略嫌削薄，他不明怎會有那許多男人為她神魂顛倒，可能他高某體內有免疫功能，應當慶幸。

高律師又輸一次。

這時家申與陸月藏到桌底下。

「你回去想清楚，我在這裏等你，今天晚上九時，我與你一起走遠遠。」

陸月愁着。

「只有你與我，你若不來，也不必解釋，我完全明白。」

「要收拾什麼？」

「什麼都不用帶，我不信我養不活你。」

外邊有人叫：「陸小姐，電話找你。」

「家申，你在何處？」

家申把陸月拉起來，抱到椅子上。

他在她耳畔說：「以前我只當陸明是渣滓，現在我開始明白他的心態，我也有掐死你的念頭。」

陸月不出聲。

「從前有勢力的男人動輒叫心愛姬妾殉葬，不捨得，帶着一起走，也有道理。」

他的手在她脖子越扣越緊。

終於放鬆。

高律師敲門，「朱因，朱因。」

陸月緩緩站起，唐家申替她整理衣領。

她拉開門與高律師離去。

在車上，高律師低聲說：「朱因，你如要結婚，無論嫁誰，事先必須叫他簽署協議書；一旦分手，只可分得若干現款，千萬不要托大。」

陸月不回應。

「朱因，俗云男歡女愛，你不應愁苦，如此苦惱，不是好事。」

陸月渾身微微顫抖。

「朱因，我們看着你長大，知道你苦處，可是，你一直被愛，陸先生惜你如他眼睛瞳仁，那已經算是幸運，我們看不得你吃苦，你凡事要想清楚。」

陸月低聲嗯地一聲。

「說到底，梅媽，阿洪，我，都是閒人，像古希臘歌劇中的詠唱團，站在主角背後，怕觀眾不明白，唱辭對劇情提供一種解釋：『小陸月自幼寂寞，渴望被愛，於是，她身邊的忠僕向阿典娜祈禱，盼望她得到真愛』……」

陸月忍不住笑出聲。

「我們起不了大作用。」

「不，高律師，你們都是我守護神。」

「朱因你就這點純真叫大家死心塌地對你。」

陸月伸手過去拍一下他的肩膀，高律師忽然半邊身痲痺，有些女子，就有此魅力。

他輕輕歎一口氣。

陸月到他事務所，坐下，要一杯拔蘭地，緩緩喝下。

她說：「我需要現款。」

「請把數目告訴我。」

陸月說一個數字。

「我替你存入戶口。」

「我希望隨身帶着。」

「你打算出遊？」

「高律師，我要私奔。」

高律師處變不驚，他平靜地說：「我即刻叫人替你做美元本票，分十張，你帶着護照到任何銀行即可兌現。」

陸月牽牽嘴角，「你不問我同誰？」

「朱因，我只是陸家律師。」他停一停，「我當然希望那人是朴醫生。」

陸月低頭，「先別知會梅媽。」

「梅媽會傷心。」

陸月強詞奪理，「她會明白。」

高氏歎口氣，「可要訂飛機票？」

「去何處？」陸月反問。

「私奔嘛，當然去大溪地或是巴哈馬，要不，意大利的卡普利島。」

陸月說：「去到飛機場再說，也許是里奧熱內盧。」

「朱因，你要小心，錢財是身外物，護照得貼身收好，否則，回不來。」

陸月輕輕答：「也許，我不再回來。」

高氏沒好氣，「朱因，你欠一身揍。」

陸月拉住他手臂笑。

高律師說：「快別這樣，人家看見會說話。」

這時下屬送銀行支票進來。

陸月站起說：「我告辭了。」

高律師叮囑：「多帶件衣服。」

陸月心身不定，唐家申這人彷彿就在她身邊，她聞得到他，感覺到他呼吸，他的大手，像永遠在她脖子上輕輕撫摸。

收拾什麼衣物呢。

陸月把所有最綺麗的內衣都取出放進行李袋，私奔嘛，就該如此傻氣。

女僕進來，陸月心虛。

她報告說：「朴醫生說，他做完手術馬上見你，九時、十時，不一定，叫你別等他吃飯。」

陸月沉默。

「我去做點心。」

陸月想起說：「那玫瑰綠豆糕，叫廚房做半打，放瓷罐裏給我。」
「還有呢。」
這許是最後一次吃家裏菜了，下次不知是什麼時候，她雖不餓，也說：「給我一碗雞湯銀絲麵。」
「馬上做。」
陸月看着房內拉雜身外物，都不捨得，卻又都不在乎，難道還把整幢一百號扛着走不行。
她第一個問題會是「家中你把我帶到何處。」
也許根本不用離開本市，可能只是去他小小的公寓。
稍後陸月讓助手陪她走遍一百號上下。
她在這裏住了二十年，要好好告別。
助手以為她視察裝修情況：「連日帶夜趕工，做得很快，住客等着搬入，朱因你仍然住頂樓？那些破舊原木傢具，可都還留用？要是你喜歡簡樸，日本大師

山本羨的作品最適合不過……」

陸月不出聲，她的手心一直微微冒汗。

「朱因，你不舒服？可要休息一下，你看你耳朵燒紅，許已發燒，叫朴醫生看看。」

陸月知道是為什麼，是為着朴正恩。

她虧欠他。

向來都是別人欠她：一屋成年人，包括律師警員及保母，都對一個少女與陸儒的關係視若無睹，他們不願也不能採取行動。

她變相被關在塔裏這麼些日子。

現在要走了。

助手與她巡到一百號餐廳。

助手說：「看到沒有，客人還在排隊輪候第二檔，都下午三時多還等吃午餐，一天入三百磅龍蝦還是不夠用，都沒來源了，我卻最喜歡羊肉架子。」

只見衣着時髦的年輕男女絲毫不覺不耐煩，輪米般等候空位。

侍者用免費咖啡及糕點挽留招待他們。

陸月疑惑地問：「為什麼他們心甘輪候。」

「整個行業也想知道，連在一百號門口排隊亦成為時尚社交活動，下雨也不怕，我們有免費雨傘雨衣。」

陸月忽然說：「明官有辦法。」

「呵，朱因，明官真可惜可是，想起他真心炙，他不在，幸虧還有你。」

陸月低頭，「我有什麼用。」

「朱因快別這麼講，此刻數百人聽你號令。」

她們又到會所巡視。

經理與領班正招考新工作人員。

年輕漂亮的男女站成一排。

經理輕輕說：「一號與三號太倦，五號及十一號有點邋遢，十八與九年紀大

了些，二十、二十一不夠高，都請他們回去。」

有人取出制服，交給他們試穿。

陸月忽然謙卑，這還叫做正當職業，用力氣換取酬勞，她與這班年輕人有什麼不同？有，現在，她是大老闆，她付他們薪水。

這時，有人端椅子過來請她與助手坐下。

不一會，那班人穿着制服出來，那是男女同款，一式的緊身白色背心及黑色長褲，十分別致，只露雙臂，可是已經誘惑。

陸月認為看夠，輕輕站起，經理與領班連忙說：「陸小姐，我調杯雞尾酒給你喝。」

助手答：「不客氣，下次再來。」

陸月與她回到辦公室，助手說：「會所侍應生收入非常好，好得他們從不放假，櫃枱幾乎不設找贖，一百、五百、一千那樣換幾瓶啤酒，其餘都是小費。」

陸月的心一早飛出去。

鐘上兩支針像是動也不動，不知過多久，仍是五時十分，五時十分了起碼半個鐘。

陸月到頂樓泳池，裝修工人正在加建更衣間，看到她說：「陸小姐，小心腳步」，他們好像都認得她。

她走到露天池往下看，市肺公園的樹木已發出新枝，隱約一搭搭嫩綠，不久便一片翠綠。

陸月說：「看到那個小小熱狗檔嗎，很受歡迎。」

「朱因，熱狗再好吃也去不到哪裏。」

可是——

助手說：「這裏冷。」

陸月點點頭。

走廊裏碰到秘書：「梅媽叫設計師絆住，她問有沒有事。」

陸月搖搖頭。

她回到房內，忽然覺得累，躺床上不知不覺入夢。

家申不放過她，膩她身上搓揉，「家申，」她輕輕說：「我要休息」，家申只是笑，仍然抱緊緊，她抓住他頭髮，「家申，我們走遠遠」，鬧鐘響起。

她跳起，原來已睡那麼久，七點多了，差些睡過頭。

陸月連忙梳洗，面孔抹一層油，頭髮用絨線帽子壓住，換上運動衫褲，吩咐司機等她。

她提着行李與那瓷罐糕點，下樓去了。

司機迎上，「陸小姐，下雨，可要添多件外衣。」

陸月點點頭，司機立刻叫人拿下來。

他接過她簡單行李，「陸小姐，去何處？」

陸月穿上外套，「到標準出版社。」

下雨車擠，在紅綠燈前排長龍，陸月坐在車內，全身緊張，她握住雙手。

——「朱因，叫朱因進來」，十六歲的她握緊雙手，遲疑地走近那個她叫祖

父的人身邊，他伸出手輕輕搭着她肩膀，「朱因，你若不高興，可以立刻出去」，他拉近她，把她的頭按在胸前……

「陸小姐，到了。」

「什麼時間？」

「八時四十五分。」

還有十五分鐘，司機卻已經打開車門，張傘，等陸月下車，一連串做慣的動作爽磊舒服，陸月想，以後沒司機用了。

她下車，在轉角遲疑片刻，她覺得還是到九時正才上樓妥當。

就在這個時候，一輛計程車停下，車門推開，有人抱着小孩下車。

下雨，一手抱孩子，另一手提行李，還要伸手進口袋掏零錢，那人有點尷尬。

他是唐家申。

他來了，陸月的心快樂跳躍，她想立刻迎上。

慢着，家申抱着孩子。

為什麼？

只見那小女孩伏在爸爸肩上，胖胖手指抓緊他後頸，連領子頭髮皮膚都一把捏住。

小孩眼尖，陸月看到她，她也看到陸月。

兩雙亮晶晶的眼睛瞪着對方。

這時唐家申摸出鈔票付給司機。

小女孩像是在說：我知道你是誰，你是要把我爸爸搶走的女人。

他帶着孩子！

他莫非要帶女兒一起私奔。

啊，不止他們兩人，唐家申想清楚之後，放不下女兒，這是他的骨肉，他捨不下。

陸月忽然鎮定，忐忑整日的心剎那十分寧靜。

那小小孩仍然瞪着她，明亮雙眼如要審判她：我不會給你好日子過，你搶我爸爸！

說時遲那時快，她忽然把一枚銅錢擲向陸月，它的溜溜滾到陸月腳邊。

唐家申背着她們，不知片刻間竟發生那麼多事，他沒看到陸月站在牆角。

只見他另一手護着小女兒的頭，把她如珠如寶般抱緊緊，走上出版社，唐家申最愛是誰，已一目了然。

陸月呆呆站着。

司機仍然撐着傘，靜靜等她吩咐。

這時，在街燈下，陸月看到小女孩擲向她的不是銅角子，她蹲下拾起，呆住。

那是一枚圓形硬紙剪成的棋子，上邊有化字演變畫出的老鼠，陸月當然認得這出自她的手筆。

她手繪鼠棋怎麼會在幼兒手上？陸月愕住。

司機輕輕問：「可是找唐先生？」

過一會，陸月輕輕答：「不。」

她看手錶，已經九時正。

她同司機說：「回一百號。」

司機忽然吁出一口氣，如釋重負，由此可知，這名老員工一直關心陸月。

陸月靜靜上車。

她不打算在未來的日子與小唐晶爭一個男人。

他是她父親，他理當屬於她，替她補習，接送放學，教她跳舞、游泳、陪她旅行。

陸月憑什麼同她爭，將來他還要送她到教堂嫁人，有父親的女兒都可享受這般幸福，她沒有父愛，不代表她冷酷無情。

陸月也不打算在以後的日子裏努力討好小唐晶，小孩心意已決，她決不允許自己喜歡陸月，啊，陸月已經足夠勞累。

回家去，她說。

車子靜靜往回駛，她抱着行李端坐着不出聲。

回到一百號，已經九點半。

唐家申應當知道陸月已放棄約會。

女僕迎上，「朴醫生來了，在你房裏等。」

陸月輕輕說：「給他做清雞湯。」

她脫下外套，走進房裏，發覺朴正恩穿着草綠色手術服仰天放肆躺在她那張舊沙發上，張着嘴，正扯鼾，他不知在做什麼好夢，下身鼓鼓。

愁苦中陸月不禁笑出來，這樣英明神武的大國手，躺下也像天真男孩。

他不知她險些就不回來。

陸月走近，伸手抓他。

他嘩一聲叫驚醒，見是陸月，喜出望外，緊緊雙手拴住，把她拉進懷內。

「你回來了。」

「等我許久？」

「還好，只不過累些。」

他自身邊掏出一隻指環套在她左手無名指上。

指環由淡灰色暗光金屬製成，非銀非鐵。

朴正恩解說：「這是鈦金屬，我請手術配件工場特製，世上只有兩枚，是我們的結婚戒指。」

「我們要結婚？」

朴醫生說下去：「鈦是神奇金屬，人體像是一早認識鈦，不予排斥，日久，鈦製螺絲關節在人體內會被接受，細胞與鈦和平共處，一起生長，我覺得很有意思。」

「朴醫生，你結過婚否？」

「無。」

「你可有子女。」

「無。」

「你可有——」

「有。」

「那就很好。」

這時，梅管家氣急敗壞趕回奔上樓，她自高律師處收到風，急得如熱鍋上螞蟻。

「朱因，朱因呢？」希望還來得及阻止。

女僕回答：「朱因與朴醫生在房裏，」她微笑，「我們不便打擾。」

梅媽滿頭大汗喘着氣坐下。

朱因終於作出明確抉擇，管家掩住要自胸中躍出的心。

她決定住回塔裏。

這裏有愛她的人。

而假以時日，梅媽肯定陸月會至愛朴正恩醫生。

完

亦舒系列

214. 她成功了我沒有　(短篇)
215. 悄悄的一線光　(長篇)
216. 吃南瓜的人　(長篇)
217. 花常好月常圓人長久　(長篇)
218. 小紫荊　(長篇)
219. 同　門　(長篇)
220. 我確是假裝　(短篇)
221. 這樣的愛拖一天是錯一天　(長篇)
222. 噓——　(長篇)
223. 她的二三事　(長篇)
224. 月是故鄉明　(散文)
225. 早上七八點鐘的太陽　(長篇)
226. 鄰居太太的情人　(長篇)
227. 如果你是安琪　(短篇)
228. 紫色平原　(長篇)
229. 我情願跳舞　(長篇)
230. 只是比較喜歡寫　(散文)
231. 電光幻影　(長篇)
232. 蓉島之春　(長篇)
233. 愛可以下載嗎　(短篇)
234. 雪　肌　(長篇)
235. 特首小姐你早　(長篇)
236. 葡萄成熟的時候　(長篇)
237. 此一時也彼一時也　(散文)
238. 剪刀替針做媒人　(長篇)
239. 乒　乓　(長篇)
240. 恨　煞　(長篇)
241. 孿　生　(長篇)
242. 漫長迂迴的路　(長篇)
243. 忘記他　(短篇)
244. 愛情只是古老傳説　(長篇)
245. 迷　藏　(長篇)
246. 靈　心　(長篇)
247. 大　君　(長篇)
248. 眾裏尋他　(長篇)
249. 吻所有女孩　(長篇)
250. 尚未打烊　(散文)
251. 一個複雜故事　(長篇)
252. 畫　皮　(長篇)
253. 愛情慢慢殺死你　(長篇)
254. 你的素心　(長篇)
255. 地盡頭　(長篇)
256. 有時他們回家　(長篇)
257. 禁　足　(長篇)
258. 謊　容　(長篇)
259. 不二心　(散文)
260. 潔如新　(長篇)
261. 從前有一隻粉蝶　(長篇)
262. 三思樓　(長篇)
263. 四部曲　(長篇)
264. 德芬郡奶油　(長篇)
265. 君還記得我否　(長篇)
266. 少年不愁　(長篇)
267. 塔裏的六月　(長篇)